Nelson's " Modern Studies " Series

General Editor—PROFESSOR R. L. GRÆME RITCHIE, D.LITT.

LETTRES DE MON MOULIN

(SELECTED)

No. 22

LE PONT D'AVIGNON

LETTRES
DE MON MOULIN

BY

ALPHONSE DAUDET

❧

SELECTED AND EDITED BY

JAMES M. MOORE, M.A.

Late Professor of French in the University of Edinburgh

THOMAS NELSON AND SONS, Ltd.
LONDON, EDINBURGH, PARIS
AND NEW YORK

First published in this Series January 1927
Reprinted 1928, 1930, 1932, 1934, 1936,
1938, 1940, 1941, 1942, 1944, 1946

CONTENTS

INTRODUCTION

LETTRES DE MON MOULIN

The Author

Alphonse Daudet was born in 1840 at Nîmes, a flourishing town whose importance, even in Roman times, is attested by its magnificent amphitheatre, temple, tower, and aqueduct, built at the very beginning of the Christian era. His father, a man of amiable character but little business ability, was compelled to give up his silk factory, and the family removed to Lyons, where Alphonse received most of his education. Like many other youths destined to become great writers, he did not distinguish himself at school.

While yet a mere boy he became an usher at the *collège* of Alais, and there spent several wretched months —mocked by the pupils, looked down on by the masters. In 1857 he escaped to Paris, and took refuge with his elder brother, Ernest. Next year he published a small book of poems, *les Amoureuses*, which attracted no attention, and began work as a journalist. A little later he was fortunate enough to be appointed a secretary to the Duc de Morny, and he held this post till the duke's death in 1865. In 1866 the first series of the *Lettres de mon Moulin* appeared in a newspaper called the *Événement*.

and a year or two later another series appeared in the *Figaro*. These were collected and published in book form in 1869. The author himself tells us that two thousand copies of this book were sold with difficulty, and that it met with little success until his reputation had been established by his novels. In 1868 had appeared *le Petit Chose*, the first part of which is mainly auto-biographical, giving an account of the author's childhood at Nîmes, his school days at Lyons, his unfortunate experiences in the *collège* of Alais, and his early days in Paris. In 1872 he produced *l'Arlésienne*, a three-act play, and *Tartarin de Tarascon*, one of the most amusing books in modern French literature. But it was not till 1874 that Daudet reached fame and fortune with *Fromont jeune et Risler aîné*, a study of contemporary Parisian life. He was hailed as one of the great novelists of the day, and his later novels, some of the more famous of which are *Jack* (1876), *le Nabab* (1877), *Numa Roumestan* (1881), *Tartarin sur les Alpes* (1885), served only to justify and consolidate the reputation which that book had won for him. He died in 1897.

Daudet has with reason been styled the French Dickens. His work contains humour and pathos, both much rarer in French than in English writers, and he has the gift —which Dickens possessed in such a marked degree—of creating typical characters. At present, however, we need not discuss the works of Daudet's mature genius. We are concerned with a little volume of stories written by a youthful poet who had not yet developed into a famous novelist of the realist school.

THE BOOK

As we have seen above, Daudet was a native of Languedoc, but he became an adopted son of Provence.

He writes little about Nîmes, much about Avignon and
Arles. As a youth he had friends who lived in a small
country mansion, the château de Montauban, close to
the village of Fontvieille, which lies about six miles to
the east of Arles. There he would come, as he himself
says, " to be cured of the fevers of Paris in the healthy
air of our little Provençal hills."

On a low ridge behind the village stand three or four
windmills, and one of these, distant a few hundred yards
from Montauban, and visible from the window of
Daudet's room, seems to have had a particular fascination for the poet. At one time he seriously thought of
buying it, and went so far as to have an *acte de vente*
(deed of sale) drawn up by a village lawyer. This
document served as a basis for the Foreword to the
Lettres, but he never became the owner of the mill, he
never lived in it, it is doubtful if he ever set foot in it—
yet it will always have a fascination for the admirers of
the *Lettres* as it had for their author.

When Daudet visited the château it belonged to a
delightful old lady who lived there with four elderly
sons who had retired from their various professions and
come home to live with their *chère maman*. After dinner
the sons would go off to the village for their game of
billiards at the café, which serves as the village club,
and Daudet remained to chat with the old dame until
she was too tired to talk any longer. Then he would slip
round to the kitchen to join the *veillée*. We can imagine
the small, delicate youth taking an unobtrusive place
in the great farm-kitchen—the house is a mansion in
front but a farm behind—and listening to the tales of
the old shepherd, the village fifer, the *gardien* (herd), and
other worthies. Next day he would repair to his nook
(*cagnard*) in the garden among the pines and there turn
into literature the simple tales he had heard round the
kitchen fire the night before. In this way he reached

the soul of Provence, learned to understand and appreciate the simple country folks he describes so well.

While few would claim that the *Lettres de mon Moulin* is a great book, we can safely assert that it is something almost as rare and as precious—a " charming " book. Few books appeal so strongly to young and old alike. The author himself was conscious of this charm. In a book of souvenirs, *Trente ans de Paris*, he says of it : " It is still my favourite book—it reminds me of the happiest hours of my youth."

From its very nature, " charm " is elusive, difficult to analyse or to define, but we may at least attempt to discover some of that of the *Lettres*.

On every page we find a kindly human sympathy that is too often lacking in French literature. The author is not trying to dissect his characters, he is trying to understand them. Daudet identifies himself with the old miller, the shepherd, the lighthouse-keeper, the sailor, and the village priest. He enters into the joys and sorrows of their simple lives, and describes them in such a way that we feel with him—and, through him, with them. The book is instinct with youth and poetry. As yet the author has seen only what is good in life. Even his villains are very mild villains after all.

Then Daudet has the somewhat rare gift of reproducing an atmosphere. Those who have not visited Provence feel, after reading these tales, that they have themselves basked in the " grand soleil de la Provence," that they have sheltered from the boisterous mistral's blast ; they have seen the dusty roads and grey hills, the pines and ever-green oaks, have breathed the fragrance of the lavender and thyme, heard the shrill song of the cicada and the wild cry of the curlew ; they have lived with the people of Provence, joined in the *farandole* to the music of fife and drum, watched the long procession of priests, masked penitents and white-robed girls, enjoyed the jokes and thrills of the village bull-ring. Those who know and love *la Provence* must admit that Daudet has been able to render, with delicate touches, the essential features of this part of France whose charm is so fine and so rare.

The style of the *Lettres* is at once simple and artistic, the choice of words sure and telling, the author's taste dainty yet sound. The introduction to each story is carefully studied. It is the old village musician who tells the story of *maître Cornille*; a simple farm-hand relates the tragedy of *l'Arlésienne*; the wind roaring among the pines recalls the lighthouse of the *Iles Sanguinaires*, and by mere chance the coastguard cutter on which the author is sailing is driven by stress of weather to seek shelter on the *Iles Lavezzi*, close to the spot where, ten years before, the good ship *Sémillante* had met her doom.

In short, we may say that the true charm of the *Lettres de mon Moulin* is the charm of Provence itself, interpreted by a poet gifted with a fine taste in language, animated by a deep sympathy with homely folks, and of simple tastes not yet spoilt by life in the great city in which he lives and which calls imperiously to him even as he revels in the beauties of the country round his Mill.

THE PROVENCE OF THE " LETTRES DE MON MOULIN "

Within easy reach of Daudet's Mill lie three towns—Avignon, the city of the Popes, a bright little modern town ; Tarascon, and Arles, an old-world city with a great Roman amphitheatre and theatre, little touched by modern progress. From Avignon, an important railway centre, the main line of the P.-L.-M. (Paris-Lyon-Méditerranée) runs to Marseilles, via Tarascon, Arles, Miramas ; and from Tarascon another important

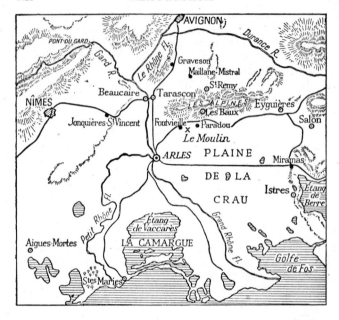

line branches off for Nîmes, Montpelier, and Spain.
There are many local lines of greater or less importance,
one of which starting from Arles goes by Fontvieille,
Paradou, and Eyguières to Salon.

A little above Arles the Rhone divides into two
streams, the Grand and the Petit Rhône. The delta
which these form is called the Camargue. It contains a
large lake or lagoon called the Vaccarès. This marshy
district is still one of the most curious parts of France
with its herds of semi-wild black cattle tended by
gardiens mounted on small white horses and armed with
tridents, men who in dress and manner are not unlike

the cowboys of the Wild West. But since Daudet's time parts of the Camargue have been reclaimed, and fruitful vineyards are beginning to take the place of marshes.

To the east of the Grand Rhône lies the Crau, a dry, pebbly plain containing little of interest. A modern note is struck by the motor-racing track of Miramas and the great aerodrome of Istres.

To the north of Fontvieille lie the Alpilles, or Alpines, a range of hills that, as Daudet says, imagine themselves to be mountains. The winding roads that cross these resemble, on a small scale, the passes of the Alps. On a spur of the Alpilles stand the ruins of Les Baux, once an important centre of Provençal life and culture, now almost deserted.

The people of Provence are true descendants of the old Latin stock. The Romans have left a deep mark on this part of France, the *Provincia* of which they were so proud. Even to-day the shepherd sometimes finds a Roman coin lying loose on his path, and everywhere are traces of the ancient civilization that ruled for centuries in this corner of ancient Gaul. The Provençaux are a simple, kindly people, fond of music, given to talking, not hard-working, though industrious in their own way.

The *tambourinaire* is the true musician of Provence. With his right hand he plays a long narrow drum (*le tambourin*) slung over his left shoulder, while with his left he plays a shrill flute (*le galoubet*). To the music of these two primitive instruments the Provençaux dance the *farandole*, in which the dancers form a chain which, in a village square, winds in and out among the trees, keeping time to the music, taking the step from the leader of the chain.

Except for the *coiffe arlésienne*, and the *corsage* and *fichu* that usually accompany it, there is little trace of local costume. There are, it is true, societies that strive to encourage Provençal dress, music, poetry, and customs, but these have a hard task in trying to keep back the levelling influences of modern civilization.

The old language of the country is still extensively used, but practically every one can speak French. The position of *Provençal* is almost exactly like that of Gaelic in Scotland. In spite of all the efforts of the *félibres* and similar societies, the language tends to disappear.

The favourite amusement of Provence is bull-baiting. In the *course provençale* a bull or cow is allowed to run loose in the arena with a small cockade of ribbons (*la cocarde*) tied between its horns, and a prize is offered to the amateur who succeeds in securing this cockade, the prize varying in value according to the known ferocity or cunning of the animal. Several times a year a regular Spanish bull-fight is held in the *Arènes* of Arles or Nîmes. The bulls and toreadors are brought from Spain, and the *gradins* are packed with spectators who come from far and near. Sometimes as many as thirty thousand are present at such a spectacle. But every village of any importance has its own little ring surrounded with a palisade and furnished with a roughly-built grand stand, where, on the occasion of a fête, bull-baiting allows the village youth to display their courage and agility before the critical spectators, whose remarks are sometimes more personal than polite. Formerly it was a picturesque sight to see the bulls driven through the town at the gallop to the *Arènes*, surrounded by the *gardiens*. Now they are brought in a great covered motor-van. The picturesque is rapidly disappearing even in Provence.

No description of Provence would be complete without some mention of the *cigales*. These "cicadas" are insects of the size and shape of a humble-bee, light-brown, grey or green in colour. They live on trees and bushes, and in fine weather keep up a ceaseless chirping that reminds one of the call of the corn-crake, though pitched a little higher. This shrilling sound is of very piercing quality, and the passing traveller can hear it above the roar of his express train. On a still day the call of a *cigale* will carry for several hundred yards. For some years past they have not been very numerous round the Mill. It may be that the extensive forest fires, that have more than once swept the hills, have reduced their numbers, or the decrease may simply be due to some bad seasons. However, in 1925, they seemed to be rather more plentiful again. This is fortunate, for who would recognize the Provence of Daudet without its little musicians, the *cigales*?

La douce France can boast of many fair provinces famed in history and romance; but it is doubtful if any of them surpasses in interest and delicate beauty that Provence which has inspired Mistral's *Mireille* and the *Lettres de mon Moulin* of Alphonse Daudet.

AVANT-PROPOS

———

« ... Par devant maître Honorat Grapazi, notaire à la résidence de Pampérigouste,

« A comparu :

« Le sieur Gaspard Mitifio, époux de Vivette Cornille, ménager au lieu dit des Cigalières et y demeurant ;

« Lequel par ces présentes a vendu et transporté sous les garanties de droit et de fait, et en franchise de toutes dettes, privilèges et hypothèques,

« Au sieur Alphonse Daudet, poète, demeurant à Paris, à ce présent et ce acceptant,

« Un moulin à vent et à farine, sis dans la vallée du Rhône, au plein cœur de la Provence, sur une côte boisée de pins et de chênes verts ; étant ledit moulin abandonné depuis plus de vingt années et hors d'état de moudre, comme il appert des vignes sauvages, mousses, romarins et autres verdures parasites qui lui grimpent jusqu'au bout des ailes ;

« Ce nonobstant, tel qu'il est et se comporte, avec sa grande roue cassée, sa plate-forme où l'herbe pousse dans les briques, déclare le sieur Daudet trouver ledit moulin à sa convenance et pouvant servir à ses travaux de poésie, l'accepte à ses risques et périls, et sans aucun recours contre le vendeur, pour cause de réparations qui pourraient y être faites.

« Cette vente a lieu en bloc moyennant le prix convenu, que le sieur Daudet, poète, a mis et déposé sur le bureau en espèces de cours, lequel prix a été de suite touché et retiré par le sieur Mitifio, le tout à la vue des notaires et témoins soussignés, dont quittance sous réserve.

« Acte fait à Pampérigouste, en l'étude Honorat, en présence de Francet Mamaï, joueur de fifre, et de Louiset dit Le Quique, porte-croix des pénitents blancs ;

« Qui ont signé avec les parties et le notaire, après lecture... »

LETTRES DE MON MOULIN

INSTALLATION

CE sont les lapins qui ont été étonnés !... Depuis si
longtemps qu'ils voyaient la porte du moulin fermée,
les murs et la plate-forme envahis par les herbes, ils
avaient fini par croire que la race des meuniers était
éteinte, et, trouvant la place bonne, ils en avaient fait
quelque chose comme un quartier général, un centre d'o-
pérations stratégiques : le moulin de Jemmapes des lapins... La nuit de mon arrivée, il y en avait bien, sans
mentir, une vingtaine assis en rond sur la plate-forme, en
train de se chauffer les pattes à un rayon de lune... Le
temps d'entr'ouvrir une lucarne, frrt ! voilà le bivac en
déroute, et tous ces petits derrières blancs qui détalent, la
queue en l'air, dans le fourré. J'espère bien qu'ils revien-
dront.

Quelqu'un de très étonné aussi, en me voyant, c'est le
locataire du premier, un vieux hibou sinistre à tête de
penseur, qui habite le moulin depuis plus de vingt ans.
Je l'ai trouvé dans la chambre du haut, immobile et droit
sur l'arbre de couche, au milieu des plâtras, des tuiles
tombées. Il m'a regardé un moment avec son œil rond ;
puis, tout effaré de ne pas me reconnaître, il s'est mis à

LE MOULIN ALPHONSE-DAUDET

faire : « Hou ! hou ! » et à secouer péniblement ses ailes
grises de poussière ; — ces diables de penseurs ! ça ne se
brosse jamais... N'importe ! tel qu'il est, avec ses yeux
clignotants et sa mine renfrognée, ce locataire silencieux
me plaît encore mieux qu'un autre, et je me suis empressé
de lui renouveler son bail. Il garde comme dans le passé
tout le haut du moulin avec une entrée par le toit ; moi
je me réserve la pièce du bas, une petite pièce blanchie à
la chaux, basse et voûtée comme un réfectoire de couvent.

C'est de là que je vous écris, ma porte grande ouverte,
au bon soleil.

Un joli bois de pins tout étincelant de lumière dégrin-
gole devant moi jusqu'au bas de la côte. A l'horizon, les
Alpilles découpent leurs crêtes fines... Pas de bruit... A
peine, de loin en loin, un son de fifre, un courlis dans les
lavandes, un grelot de mule sur la route... Tout ce beau
paysage provençal ne vit que par la lumière.

Et maintenant, comment voulez-vous que je le re-
grette, votre Paris bruyant et noir ? Je suis si bien dans
mon moulin ! C'est si bien le coin que je cherchais, un
petit coin parfumé et chaud, à mille lieues des journaux,
des fiacres, du brouillard... Et que de jolies choses autour
de moi ! Il y a à peine huit jours que je suis installé, j'ai
déjà la tête bourrée d'impressions et de souvenirs... Tenez ! pas plus tard qu'hier soir, j'ai assisté à la rentrée des
troupeaux dans un *mas* (une ferme) qui est au bas de la
côte, et je vous jure que je ne donnerais pas ce spectacle
pour toutes les *premières* que vous avez eues à Paris cette
semaine. Jugez plutôt.

Il faut vous dire qu'en Provence, c'est l'usage, quand
viennent les chaleurs, d'envoyer le bétail dans les Alpes.
Bêtes et gens passent cinq ou six mois là-haut, logés à la
belle étoile, dans l'herbe jusqu'au ventre ; puis, au premier

frisson de l'automne, on redescend au *mas*, et l'on revient brouter bourgeoisement les petites collines grises que parfume le romarin... Donc hier soir les troupeaux rentraient. Depuis le matin, le portail attendait, ouvert à deux battants ; les bergeries étaient pleines de paille fraîche. D'heure en heure on se disait : « Maintenant ils sont à Eyguières, maintenant au Paradou. » Puis tout à coup, vers le soir, un grand cri : « Les voilà ! » et là-bas, au lointain, nous voyons le troupeau s'avancer dans une gloire de poussière. Toute la route semble marcher avec lui... Les vieux béliers viennent d'abord, la corne en avant, l'air sauvage ; derrière eux le gros des moutons, les mères un peu lasses, leurs nourrissons dans les pattes ; — les mules à pompons rouges portant dans des paniers les agnelets d'un jour qu'elles bercent en marchant ; puis les chiens tout suants, avec des langues jusqu'à terre, et deux grands coquins de bergers drapés dans des manteaux de cadis roux qui leur tombent sur les talons comme des chapes.

Tout cela défile devant nous joyeusement et s'engouffre sous le portail, en piétinant avec un bruit d'averse... Il faut voir quel émoi dans la maison. Du haut de leurs perchoirs, les gros paons vert et or, à crête de tulle, ont reconnu les arrivants et les accueillent par un formidable coup de trompette. Le poulailler, qui s'endormait, se réveille en sursaut. Tout le monde est sur pied, pigeons, canards, dindons, pintades. La basse-cour est comme folle ; les poules parlent de passer la nuit !... On dirait que chaque mouton a rapporté dans sa laine, avec un parfum d'Alpe sauvage, un peu de cet air vif des montagnes qui grise et qui fait danser.

C'est au milieu de tout ce train que le troupeau gagne son gîte. Rien de charmant comme cette installation. Les vieux béliers s'attendrissent en revoyant leur crèche. Les agneaux, les tout petits, ceux qui sont nés dans le voyage et n'ont jamais vu la ferme, regardent autour d'eux avec étonnement. Mais le plus touchant encore, ce sont les chiens, ces braves chiens de berger, tout affairés après leurs bêtes et ne voyant qu'elles dans le *mas*. Le chien de garde a beau les appeler du fond de sa niche ; le seau du puits, tout plein d'eau fraîche, a beau leur faire signe : ils ne veulent rien voir, rien entendre, avant que le bétail soit rentré, le gros loquet poussé sur la petite porte à claire-voie, et les bergers attablés dans la salle basse. Alors seulement ils consentent à gagner le chenil, et là, tout en lapant leur écuellée de soupe, ils racontent à leurs camarades de la ferme ce qu'ils ont fait là-haut dans la montagne, un pays noir où il y a des loups et de grandes digitales de pourpre pleines de rosée jusqu'au bord.

LE SECRET DE MAÎTRE CORNILLE

FRANCET MAMAÏ, un vieux joueur de fifre, qui vient de temps en temps faire la veillée chez moi, en buvant du vin cuit, m'a raconté l'autre soir un petit drame de village dont mon moulin a été témoin il y a quelque vingt ans. Le récit du bonhomme m'a touché, et je vais essayer de vous le redire tel que je l'ai entendu.

Imaginez-vous pour un moment, chers lecteurs, que vous êtes assis devant un pot de vin tout parfumé, et que c'est un vieux joueur de fifre qui vous parle.

***

Notre pays, mon bon monsieur, n'a pas toujours été un endroit mort et sans renom comme il est aujourd'hui. Autre temps, il s'y faisait un grand commerce de meunerie, et, dix lieues à la ronde, les gens des *mas* nous apportaient leur blé à moudre... Tout autour du village, les collines étaient couvertes de moulins à vent. De droite et de gauche, on ne voyait que des ailes qui viraient au mistral par-dessus les pins, des ribambelles de petits ânes chargés de sacs, montant et dévalant le long des chemins; et toute la semaine c'était plaisir d'entendre sur la hauteur le bruit des fouets, le craquement de la toile et le « Dia hue ! » des aides-meuniers... Le dimanche, nous allions aux moulins, par bandes. Là-haut, les meuniers payaient le muscat. Les meunières étaient belles comme des reines, avec leurs fichus de dentelles et leurs croix d'or. Moi, j'apportais mon fifre, et jusqu'à la noire nuit on dansait des farandoles. Ces moulins-là, voyez-vous, faisaient la joie et la richesse de notre pays.

Malheureusement, des Français de Paris eurent l'idée d'établir une minoterie à vapeur, sur la route de Tarascon. « Tout beau, tout nouveau ! » comme on dit chez nous ; les gens prirent l'habitude d'envoyer leur blé aux minotiers, et les pauvres moulins à vent restèrent sans ouvrage. Pendant quelque temps ils essayèrent de lutter, mais la vapeur fut la plus forte, et l'un après l'autre, *pécaïre !* ils furent tous obligés de fermer... On ne vit plus venir les petits ânes... Les belles meunières vendirent leurs croix d'or... Plus de muscat ! Plus de farandole !... Le mistral avait beau souffler, les ailes restaient immobiles... Puis, un beau jour, la commune fit jeter toutes ces masures à bas, et l'on sema à leur place de la vigne et des oliviers.

Pourtant, au milieu de la débâcle, un moulin avait tenu bon et continuait de virer courageusement sur sa butte, à la barbe des minotiers. C'était le moulin de maître Cornille, celui-là même où nous sommes en train de faire la veillée en ce moment.

———————

Maître Cornille était un vieux meunier, vivant depuis soixante ans dans la farine et enragé pour son état. L'installation des minoteries l'avait rendu comme fou. Pendant huit jours, on le vit courir par le village, ameutant le monde autour de lui et criant de toutes ses forces qu'on voulait empoisonner la Provence avec la farine des minotiers. « N'allez pas là-bas, disait-il ; ces brigands-là, pour faire le pain, se servent de la vapeur, qui est une invention du diable, tandis que moi je travaille avec le mistral et la tramontane, qui sont la respiration du bon

Dieu... » Et il trouvait comme cela une foule de belles paroles à la louange des moulins à vent ; mais personne ne les écoutait.

Alors, de male rage, le vieux s'enferma dans son moulin et vécut tout seul comme une bête farouche. Il ne voulut pas même garder près de lui sa petite-fille Vivette, une enfant de quinze ans, qui, depuis la mort de ses parents, n'avait plus que son *grand* au monde. La pauvre petite fut obligée de gagner sa vie et de se louer un peu partout dans les *mas*, pour la moisson, les magnans ou les olivades. Et pourtant son grand-père avait l'air de bien l'aimer, cette enfant-là !... Il lui arrivait souvent de faire ses quatre lieues à pied par le grand soleil pour aller la voir aux *mas* où elle travaillait, et quand il était près d'elle, il passait des heures entières à la regarder en pleurant...

Dans le pays on pensait que le vieux meunier, en renvoyant Vivette, avait agi par avarice, et cela ne lui faisait pas honneur de laisser sa petite ainsi traîner d'une ferme à l'autre, exposée aux brutalités des *vaïles* et à toutes les misères des jeunesses en condition. On trouvait très mal aussi qu'un homme du renom de maître Cornille, et qui jusque-là s'était respecté, s'en allât maintenant par les rues comme un vrai bohémien, pieds nus, le bonnet troué, la taillole en lambeaux... Le fait est que le dimanche, lorsque nous le voyions entrer à la messe, nous avions honte pour lui, nous autres les vieux ; et Cornille le sentait si bien qu'il n'osait plus venir s'asseoir sur le banc d'œuvre. Toujours il restait au fond de l'église, près du bénitier, avec les pauvres.

———

Dans la vie de maître Cornille il y avait quelque chose qui n'était pas clair. Depuis longtemps personne, au village, ne lui portait plus de blé, et pourtant les ailes de son moulin allaient toujours leur train comme devant... Le soir, on rencontrait par les chemins le vieux meunier poussant devant lui son âne chargé de gros sacs de farine.

— Bonnes vêpres, maître Cornille, lui criaient les paysans ; ça va donc toujours, la meunerie ?

— Toujours, mes enfants, répondait le vieux d'un air gaillard. Dieu merci ! ce n'est pas l'ouvrage qui nous manque.

Alors, si on lui demandait d'où diable pouvait venir tant d'ouvrage, il se mettait un doigt sur les lèvres et répondait gravement : « *Motus !* je travaille pour l'exportation... » Jamais on n'en put tirer davantage.

Quant à mettre le nez dans son moulin, il n'y fallait pas songer. La petite Vivette elle-même n'y entrait pas...

Lorsqu'on passait devant, on voyait la porte toujours fermée, les grosses ailes toujours en mouvement, le vieil âne broutant le gazon de la plate-forme, et un grand chat maigre qui prenait le soleil sur le rebord de la fenêtre et vous regardait d'un air méchant.

Tout cela sentait le mystère et faisait beaucoup jaser le monde. Chacun expliquait à sa façon le secret de maître Cornille, mais le bruit général était qu'il y avait dans ce moulin-là encore plus de sacs d'écus que de sacs de farine.

A la longue pourtant tout se découvrit ; voici comment :

En faisant danser la jeunesse avec mon fifre, je m'aperçus un beau jour que l'aîné de mes garçons et la petite Vivette s'étaient rendus amoureux l'un de l'autre. Au fond je n'en fus pas fâché, parce qu'après tout le nom des Cornille était en honneur chez nous, et puis ce joli petit passereau de Vivette m'aurait fait plaisir à voir trotter dans ma maison. Seulement, comme nos amoureux avaient souvent occasion d'être ensemble, je voulus régler l'affaire tout de suite, et je montai jusqu'au moulin pour

en toucher deux mots au grand-père... Ah ! le vieux sor
cier ! il faut voir de quelle manière il me reçut ! Impossible
de lui faire ouvrir sa porte. Je lui expliquai mes raisons
tant bien que mal, à travers le trou de la serrure ; et tout
le temps que je parlais, il y avait ce grand coquin de chat
maigre qui soufflait comme un diable au-dessus de ma
tête.

Le vieux ne me donna pas le temps de finir, et me
cria fort malhonnêtement de retourner à ma flûte ; que,
si j'étais pressé de marier mon garçon, je pouvais bien
aller chercher des filles à la minoterie... Pensez que le
sang me montait d'entendre ces mauvaises paroles ; mais
j'eus tout de même assez de sagesse pour me contenir, et,
laissant ce vieux fou à sa meule, je revins annoncer aux
enfants ma déconvenue... Ces pauvres agneaux ne pouvaient pas y croire ; ils me demandèrent comme une
grâce de monter tous deux ensemble au moulin, pour
parler au grand-père... Je n'eus pas le courage de refuser,
et prrrt ! voilà mes amoureux partis.

Tout juste comme ils arrivaient là-haut, maître Cornille venait de sortir. La porte était fermée à double tour ;
mais le vieux bonhomme, en partant, avait laissé son
échelle dehors, et tout de suite l'idée vint aux enfants
d'entrer par la fenêtre, voir un peu ce qu'il y avait dans
ce fameux moulin...

Chose singulière ! la chambre de la meule était vide...
Pas un sac, pas un grain de blé ; pas la moindre farine aux
murs ni sur les toiles d'araignée... On ne sentait pas même
cette bonne odeur chaude de froment écrasé qui embaume
dans les moulins... L'arbre de couche était couvert de
poussière, et le grand chat maigre dormait dessus...

La pièce du bas avait le même air de misère et d'abandon : — un mauvais lit, quelques guenilles, un morceau
de pain sur une marche d'escalier, et puis dans un coin
trois ou quatre sacs crevés d'où coulaient des gravats et
de la terre blanche.

C'était là le secret de maître Cornille ! C'était ce plâtras qu'il promenait le soir par les routes, pour sauver l'honneur du moulin et faire croire qu'on y faisait de la farine... Pauvre moulin ! Pauvre Cornille ! Depuis longtemps, les minotiers leur avaient enlevé leur dernière pratique. Les ailes viraient toujours, mais la meule tournait à vide.

───────

Les enfants revinrent, tout en larmes, me conter ce qu'ils avaient vu. J'eus le cœur crevé de les entendre... Sans perdre une minute, je courus chez les voisins, je leur dis la chose en deux mots, et nous convînmes qu'il fallait, sur l'heure, porter au moulin Cornille tout ce qu'il y avait de froment dans les maisons... Sitôt dit, sitôt fait. Tout le village se met en route, et nous arrivons là-haut avec une procession d'ânes chargés de blé, — du vrai blé, celui-là !

Le moulin était grand ouvert... Devant la porte, maître Cornille, assis sur un sac de plâtre, pleurait, la tête dans ses mains. Il venait de s'apercevoir, en rentrant, que pendant son absence on avait pénétré chez lui et surpris son triste secret.

— Pauvre de moi ! disait-il. Maintenant, je n'ai plus qu'à mourir... Le moulin est déshonoré !

Et il sanglotait à fendre l'âme ; et il appelait son moulin par toutes sortes de noms, lui parlant comme à une personne véritable.

A ce moment, les ânes arrivent sur la plate-forme, et nous nous mettons tous à crier bien fort comme au bon temps des meuniers :

— Ohé ! du moulin !... Ohé ! maître Cornille !

Et voilà les sacs qui s'entassent devant la porte et le beau grain roux qui se répand par terre de tous côtés...

Maître Cornille ouvrait de grands yeux. Il avait pris du blé dans le creux de sa vieille main et il disait, riant et pleurant à la fois :

— C'est du blé... Seigneur Dieu !... Du bon blé !... Laissez-moi, que je le regarde.

Puis, se tournant vers nous :

— Ah ! je savais bien que vous me reviendriez... tous
ces minotiers sont des voleurs.

Nous voulions l'emporter en triomphe au village :

— Non, non, mes enfants ; il faut avant tout que j'aille
donner à manger à mon moulin... Pensez donc ! il y a si
longtemps qu'il ne s'est rien mis sous la dent !

Et nous avions tous des larmes dans les yeux de voir le
pauvre vieux se démener de droite et de gauche, éven-
trant les sacs, surveillant la meule, tandis que le grain
s'écrasait et que la fine poussière de froment s'envolait au
plafond.

C'est une justice à nous rendre ; à partir de ce jour-là,
jamais nous ne laissâmes le vieux meunier manquer d'ouvrage.

Puis, un matin, maître Cornille mourut, et les ailes de
notre dernier moulin cessèrent de virer, pour toujours
cette fois... Cornille mort, personne ne prit sa suite.

Que voulez-vous, monsieur !... Tout a une fin en ce
monde, et il faut croire que le temps des moulins à vent
était passé comme celui des coches sur le Rhône, des
parlements et des jaquettes à grandes fleurs.

LA CHÈVRE DE M. SEGUIN

A M. Pierre Gringoire, poète lyrique à Paris.

TU seras bien toujours le même, mon pauvre Gringoire !

Comment ! on t'offre une place de chroniqueur dans un bon journal de Paris, et tu as l'aplomb de refuser... Mais regarde-toi, malheureux garçon ! Regarde ce pourpoint troué, ces chausses en déroute, cette face maigre qui crie la faim. Voilà pourtant où t'a conduit la passion des belles rimes ! Voilà ce que t'ont valu dix ans de loyaux services dans les pages du sire Apollo... Est-ce que tu n'as pas honte, à la fin ?

Fais-toi donc chroniqueur, imbécile ; fais-toi chroniqueur. Tu gagneras de beaux écus à la rose, tu auras ton couvert chez Brébant, et tu pourras te montrer les jours de première avec une plume neuve à ta barrette...

Non ? Tu ne veux pas ?... Tu prétends rester libre à ta guise jusqu'au bout... Eh bien, écoute un peu l'histoire de la *chèvre de M. Seguin.* Tu verras ce que l'on gagne à vouloir vivre libre.

———

M. Seguin n'avait jamais eu de bonheur avec ses chèvres.

Il les perdait toutes de la même façon : un beau matin, elles cassaient leur corde, s'en allaient dans la montagne, et là-haut le loup les mangeait. Ni les caresses de leur maître, ni la peur du loup, rien ne les retenait. C'était, paraît-il, des chèvres indépendantes, voulant à tout prix le grand air et la liberté.

Le brave M. Seguin, qui ne comprenait rien au caractère de ses bêtes, était consterné. Il disait :

— C'est fini ; les chèvres s'ennuient chez moi, je n'en garderai pas une.

Cependant il ne se découragea pas, et après avoir perdu six chèvres de la même manière, il en acheta une septième ; seulement, cette fois, il eut soin de la prendre toute jeune, pour qu'elle s'habituât mieux à demeurer chez lui.

Ah ! Gringoire, qu'elle était jolie la petite chèvre de M. Seguin ! Qu'elle était jolie avec ses yeux doux, sa barbiche de sous-officier, ses sabots noirs et luisants, ses cornes zébrées et ses longs poils blancs qui lui faisaient une houppelande ! C'était presque aussi charmant que le cabri d'Esméralda, tu te rappelles, Gringoire ? — et puis, docile, caressante, se laissant traire sans bouger, sans mettre son pied dans l'écuelle. Un amour de petite chèvre...

M. Seguin avait derrière sa maison un clos entouré d'aubépines. C'est là qu'il mit sa nouvelle pensionnaire. Il l'attacha à un pieu, au plus bel endroit du pré, en ayant soin de lui laisser beaucoup de corde, et de temps en temps il venait voir si elle était bien. La chèvre se trouvait très heureuse et broutait l'herbe de si bon cœur que M. Seguin était ravi.

— Enfin, pensait le pauvre homme, en voilà une qui ne s'ennuiera pas chez moi !

M. Seguin se trompait, sa chèvre s'ennuya.

———

Un jour, elle se dit en regardant la montagne :

— Comme on doit être bien là-haut ! Quel plaisir de gambader dans la bruyère, sans cette maudite longe qui vous écorche le cou !... C'est bon pour l'âne ou pour le bœuf de brouter dans un clos !... Les chèvres, il leur faut du large.

A partir de ce moment, l'herbe du clos lui parut fade. L'ennui lui vint. Elle maigrit ; son lait se fit rare. C'était pitié de la voir tirer tout le jour sur sa longe, la tête tournée du côté de la montagne, la narine ouverte, et faisant : *Mê !...* tristement.

M. Seguin s'apercevait bien que sa chèvre avait quelque chose, mais il ne savait pas ce que c'était... Un matin, comme il achevait de la traire, la chèvre se retourna et lui dit dans son patois :

— Écoutez, monsieur Seguin, je me languis chez vous. Laissez-moi aller dans la montagne.

— Ah ! mon Dieu !... Elle aussi ! cria M. Seguin stupéfait, et du coup il laissa tomber son écuelle.

Puis, s'asseyant dans l'herbe, à côté de sa chèvre :

— Comment, Blanquette, tu veux me quitter ?

Blanquette répondit :

— Oui, monsieur Seguin.

— Est-ce que l'herbe te manque ici ?

— Oh ! non, monsieur Seguin.

— Tu es peut-être attachée de trop court ; veux-tu que j'allonge la corde ?

— Ce n'est pas la peine. monsieur Seguin.

— Alors, qu'est-ce qu'il te faut ? Qu'est-ce que tu veux ?

— Je veux aller dans la montagne, monsieur Seguin.

— Mais, malheureuse, tu ne sais pas qu'il y a le loup dans la montagne... Que feras-tu quand il viendra ?...

— Je lui donnerai des coups de corne, monsieur Seguin.

— Le loup se moque bien de tes cornes. Il m'a mangé des biques autrement encornées que toi... Tu sais bien, la vieille Renaude qui était ici l'an dernier ? une maîtresse chèvre, forte et méchante comme un bouc. Elle s'est battue avec le loup toute la nuit... puis, le matin, le loup l'a mangée.

— *Pécaïre !* Pauvre Renaude !... Ça ne fait rien, monsieur Seguin, laissez-moi aller dans la montagne.

— Bonté divine !... dit M. Seguin ; mais qu'est-ce qu'on leur a donc fait à mes chèvres ? Encore une que le loup va me manger... Eh bien, non... je te sauverai malgré toi, coquine ! et de peur que tu ne rompes ta corde, je vais t'enfermer dans l'étable, et tu y resteras toujours.

Là-dessus, M. Seguin emporta la chèvre dans une étable toute noire, dont il ferma la porte à double tour. Malheureusement il avait oublié la fenêtre, et à peine eut-il le dos tourné que la petite s'en alla...

Tu ris, Gringoire ?... Parbleu ! je crois bien ; tu es du parti des chèvres, toi, contre ce bon M. Seguin... Nous allons voir si tu riras tout à l'heure.

Quand la chèvre blanche arriva dans la montagne, ce fut un ravissement général. Jamais les vieux sapins n'avaient rien vu d'aussi joli. On la reçut comme une petite reine. Les châtaigniers se baissaient jusqu'à terre pour la caresser du bout de leurs branches. Les genêts d'or s'ouvraient sur son passage, et sentaient bon tant qu'ils pouvaient. Toute la montagne lui fit fête.

Tu penses, Gringoire, si notre chèvre était heureuse ! Plus de corde, plus de pieu... rien qui l'empêchât de gambader, de brouter à sa guise... C'est là qu'il y en avait de l'herbe ! jusque par-dessus les cornes, mon cher !... Et quelle herbe ! Savoureuse, fine, dentelée, faite de mille plantes... C'était bien autre chose que le gazon du clos. Et les fleurs donc !... De grandes campanules bleues, des digitales de pourpre à longs calices, toute une forêt de fleurs sauvages débordant de sucs capiteux !...

La chèvre blanche, à moitié soûle, se vautrait là dedans les jambes en l'air et roulait le long des talus, pêle-mêle avec les feuilles tombées et les châtaignes... Puis tout à coup elle se redressait d'un bond sur ses pattes. Hop ! la voilà partie, la tête en avant, à travers les maquis et les buissières, tantôt sur un pic, tantôt au fond d'un ravin, là-haut, en bas, partout... On aurait dit qu'il y avait dix chèvres de M. Seguin dans la montagne.

C'est qu'elle n'avait peur de rien, la Blanquette.

Elle franchissait d'un saut de grands torrents qui l'éclaboussaient au passage de poussière humide et d'écume. Alors, toute ruisselante, elle allait s'étendre sur quelque roche plate et se faisait sécher par le soleil... Une fois, s'avançant au bord d'un plateau, une fleur de cytise aux dents, elle aperçut en bas, tout en bas dans la plaine, la maison de M. Seguin avec le clos derrière. Cela la fit rire aux larmes.

— Que c'est petit ! dit-elle ; comment ai-je pu tenir là dedans ?

Pauvrette ! de se voir si haut perchée, elle se croyait au moins aussi grande que le monde...

En somme, ce fut une bonne journée pour la chèvre de M. Seguin ! Vers le milieu du jour, en courant de droite et de gauche, elle tomba dans une troupe de chamois en train de croquer une lambrusque à belles dents. Notre petite coureuse en robe blanche fit sensation. On lui donna la meilleure place à la lambrusque, et tous ces messieurs furent très galants.

———

Tout à coup le vent fraîchit. La montagne devint violette ; c'était le soir... « Déjà ! » dit la petite chèvre ; et elle s'arrêta fort étonnée.

En bas, les champs étaient noyés de brume. Le clos de M. Seguin disparaissait dans le brouillard, et de la maisonnette on ne voyait plus que le toit avec un peu de fumée. Elle écouta les clochettes d'un troupeau qu'on ramenait, et se sentit l'âme toute triste... Un gerfaut, qui rentrait, la frôla de ses ailes en passant. Elle tressaillit... Puis ce fut un long hurlement dans la montagne :

— Hou ! hou !

Elle pensa au loup ; de tout le jour la folle n'y avait pas pensé... Au même moment, une trompe sonna bien loin dans la vallée. C'était ce bon M. Seguin qui tentait un dernier effort.

— Hou ! hou !... faisait le loup.

— Reviens ! reviens !... criait la trompe.

Blanquette eut envie de rentrer ; mais en se rappelant le pieu, la corde, la haie du clos, elle pensa que maintenant elle ne pourrait plus se faire à cette vie, et qu'il valait mieux rester...

La trompe ne sonnait plus...

La chèvre entendit derrière elle un bruit de feuilles. Elle se retourna et vit dans l'ombre deux oreilles courtes, toutes droites, avec deux yeux qui reluisaient... C'était le loup.

————

Énorme, immobile, assis sur son train de derrière, il était là, regardant la petite chèvre blanche et la dégustant par avance. Comme il savait bien qu'il la mangerait, le loup ne se pressait pas ; seulement, quand elle se retourna, il se mit à rire méchamment :

— Ha ! ha ! la petite chèvre de M. Seguin ! et il passa sa grosse langue rouge sur ses babines d'amadou.

Blanquette se sentit perdue... Un moment, en se rappelant l'histoire de la vieille Renaude, qui s'était battue toute la nuit pour être mangée le matin, elle se dit qu'il vaudrait peut-être mieux se laisser manger tout de suite ; puis, s'étant ravisée, elle tomba en garde, la tête basse et la corne en avant, comme une brave chèvre de M. Seguin qu'elle était... Non pas qu'elle eût l'espoir de tuer le loup, — les chèvres ne tuent pas le loup, — mais seulement pour voir si elle pourrait tenir aussi longtemps que la Renaude...

Alors le monstre s'avança, et les petites cornes entrèrent en danse.

Ah ! la brave chevrette ! comme elle y allait de bon cœur ! Plus de dix fois, je ne mens pas, Gringoire, elle força le loup à reculer pour reprendre haleine. Pendant ces trêves d'une minute, la gourmande cueillait en hâte encore un brin de sa chère herbe, puis elle retournait au combat, la bouche pleine... Cela dura toute la nuit. De temps en temps la chèvre de M. Seguin regardait les étoiles danser dans le ciel clair, et elle se disait :

— Oh ! pourvu que je tienne jusqu'à l'aube !...

L'une après l'autre, les étoiles s'éteignirent. Blanquette redoubla de coups de corne, le loup de coups de dents... Une lueur pâle parut dans l'horizon... Le chant d'un coq enroué monta d'une métairie. « Enfin ! » dit la pauvre bête, qui n'attendait plus que le jour pour mourir ; et elle s'allongea par terre dans sa belle fourrure blanche toute tachée de sang...

Alors le loup se jeta sur la petite chèvre et la mangea.

———

Adieu, Gringoire !

L'histoire que tu as entendue n'est pas un conte de mon invention. Si jamais tu viens en Provence, nos ménagers te parleront souvent de *la cabro de moussu Seguin, que se battégué touto la neui emé lou loup, e piei lou matin lou loup la mangé* [1].

Tu m'entends bien, Gringoire ?

E piei lou matin lou loup la mangé.

[1] La chèvre de monsieur Seguin, qui se battit toute la nuit avec le loup, et puis, le matin, le loup la mangea.

L'ARLÉSIENNE

POUR aller au village, en descendant de mon moulin, on passe devant un *mas* bâti près de la route au fond d'une grande cour plantée de micocouliers. C'est la vraie maison du *ménager* de Provence, avec ses tuiles rouges, sa large façade brune irrégulièrement percée, puis tout en haut la girouette du grenier, la poulie pour hisser les meules, et quelques touffes de foin brun qui dépassent...

Pourquoi cette maison m'avait-elle frappé ? Pourquoi ce portail fermé me serrait-il le cœur ? Je n'aurais pas pu le dire, et pourtant ce logis me faisait froid. Il y avait trop de silence autour... Quand on passait, les chiens n'aboyaient pas, les pintades s'enfuyaient sans crier... A l'intérieur, pas une voix ! Rien, pas même un grelot de mule... Sans les rideaux blancs des fenêtres et la fumée qui montait des toits, on aurait cru l'endroit inhabité.

Hier, sur le coup de midi, je revenais du village, et, pour éviter le soleil, je longeais les murs de la ferme, dans l'ombre des micocouliers... Sur la route, devant le *mas*, des valets silencieux achevaient de charger une charrette de foin... Le portail était resté ouvert. Je jetai un regard en passant, et je vis, au fond de la cour, accoudé, — la tête dans ses mains, — sur une large table de pierre, un grand vieux tout blanc, avec une veste trop courte et des culottes en lambeaux... Je m'arrêtai. Un des hommes me dit tout bas :

— Chut ! c'est le maître... Il est comme ça depuis le malheur de son fils.

UN MAS PROVENÇAL : LE CASTELET

A ce moment une femme et un petit garçon, vêtus de noir, passèrent près de nous avec de gros paroissiens dorés, et entrèrent à la ferme.

L'homme ajouta :

— ... La maîtresse et Cadet qui reviennent de la messe. Ils y vont tous les jours, depuis que l'enfant s'est tué... Ah ! monsieur, quelle désolation !... Le père porte encore les habits du mort ; on ne peut pas les lui faire quitter... Dia ! hue ! la bête.

La charrette s'ébranla pour partir. Moi, qui voulais en savoir plus long, je demandai au voiturier de monter à côté de lui, et c'est là-haut, dans le foin, que j'appris toute cette navrante histoire...

———

Il s'appelait Jan. C'était un admirable paysan de vingt ans, sage comme une fille, solide et le visage ouvert. Comme il était très beau, les femmes le regardaient ; mais lui n'en avait qu'une en tête, — une petite Arlésienne, toute en velours et en dentelles, qu'il avait rencontrée sur la Lice d'Arles, une fois. — Au *mas*, on ne vit pas d'abord cette liaison avec plaisir. La fille passait pour coquette et ses parents n'étaient pas du pays. Mais Jan voulait son Arlésienne à toute force. Il disait :

— Je mourrai si on ne me la donne pas.

Il fallut en passer par là. On décida de les marier après la moisson.

Donc, un dimanche soir, dans la cour du *mas*, la famille achevait de dîner. C'était presque un repas de noces. La fiancée n'y assistait pas, mais on avait bu en son honneur tout le temps... Un homme se présente à la porte, et, d'une voix qui tremble, demande à parler à maître Estève, à lui seul. Estève se lève et sort sur la route.

— Maître, lui dit l'homme, vous allez marier votre enfant à une coquine, qui a été mon amie pendant deux ans. Ce que j'avance, je le prouve : voici des lettres !... Les parents savent tout et me l'avaient promise ; mais, depuis que votre fils la recherche, ni eux ni la belle ne veulent plus de moi.

— C'est bien ! dit maître Estève quand il eut regardé les lettres ; entrez boire un verre de muscat.

L'homme répond :

— Merci ! j'ai plus de chagrin que de soif.

Et il s'en va.

Le père rentre, impassible ; il reprend sa place à table et le repas s'achève gaiement...

Ce soir-là, maître Estève et son fils s'en allèrent ensemble dans les champs. Ils restèrent longtemps dehors ; quand ils revinrent, la mère les attendait encore.

— Femme, dit le *ménager* en lui amenant son fils, embrasse-le ! il est malheureux...

———

Jan ne parla plus de l'Arlésienne. Il l'aimait toujours cependant, et même plus que jamais. Seulement il était trop fier pour rien dire ; c'est ce qui le tua, le pauvre enfant !... Quelquefois il passait des journées entières seul dans un coin, sans bouger. D'autres jours, il se mettait à la terre avec rage et abattait à lui seul le travail de dix journaliers... Le soir venu, il prenait la route d'Arles et marchait devant lui jusqu'à ce qu'il vît monter dans le couchant les clochers grêles de la ville. Alors il revenait. Jamais il n'alla plus loin.

De le voir ainsi, toujours triste et seul, les gens du *mas* ne savaient plus que faire. On redoutait un malheur... Une fois, à table, sa mère, en le regardant avec des yeux pleins de larmes, lui dit :

— Eh bien ! écoute, Jan, si tu la veux tout de même, nous te la donnerons..

Le père, rouge de honte, baissait la tête...

Jan fit signe que non, et il sortit...

A partir de ce jour, il changea sa façon de vivre, affectant d'être toujours gai, pour rassurer ses parents. On le revit au bal, au cabaret, dans les ferrades. A la vote de Fonvieille, c'est lui qui mena la farandole.

Le père disait : « Il est guéri. » La mère, elle, avait toujours des craintes et plus que jamais surveillait son enfant... Jan couchait avec Cadet, tout près de la magnanerie ; la pauvre vieille se fit dresser un lit à côté de leur chambre... Les magnans pouvaient avoir besoin d'elle, dans la nuit.

Vint la fête de saint Éloi, patron des ménagers.

Grande joie au *mas*... Il y eut du châteauneuf pour tout le monde et du vin cuit comme s'il en pleuvait. Puis des pétards, des feux sur l'aire, des lanternes de couleur plein les micocouliers... Vive saint Éloi ! On farandola à mort. Cadet brûla sa blouse neuve... Jan lui-même avait l'air content ; il voulut faire danser sa mère ; la pauvre femme en pleurait de bonheur.

A minuit, on alla se coucher. Tout le monde avait besoin de dormir... Jan ne dormit pas, lui. Cadet a raconté depuis que toute la nuit il avait sangloté... Ah ! je vous réponds qu'il était bien mordu, celui-là...

———

Le lendemain, à l'aube, la mère entendit quelqu'un traverser sa chambre en courant. Elle eut comme un pressentiment :

— Jan, c'est toi ?

Jan ne répond pas ; il est déjà dans l'escalier. Vite, vite la mère se lève :

— Jan, où vas-tu ?

Il monte au grenier ; elle monte derrière lui :

— Mon fils, au nom du ciel !

Il ferme la porte et tire le verrou.

— Jan, mon Janet, réponds-moi. Que vas-tu faire ?

A tâtons, de ses vieilles mains qui tremblent, elle cherche le loquet... Une fenêtre qui s'ouvre, le bruit d'un corps sur les dalles de la cour, et c'est tout...

Il s'était dit, le pauvre enfant : « Je l'aime trop... Je m'en vais... » Ah ! misérables cœurs que nous sommes. C'est un peu fort pourtant que le mépris ne puisse pas tuer l'amour !...

Ce matin-là, les gens du village se demandèrent qui pouvait crier ainsi, là-bas, du côté du *mas* d'Estève...

C'était dans la cour, devant la table de pierre couverte de rosée et de sang, la mère qui se lamentait, avec son enfant mort sur ses bras.

LA MULE DU PAPE

DE tous les jolis dictons, proverbes ou adages dont nos
paysans de Provence passementent leurs discours, je
n'en sais pas un plus pittoresque ni plus singulier que
celui-ci. A quinze lieues autour de mon moulin, quand on
parle d'un homme rancunier, vindicatif, on dit : « Cet
homme-là, méfiez-vous !... il est comme la mule du Pape,
qui garde sept ans son coup de pied. »

J'ai cherché bien longtemps d'où ce proverbe pouvait
venir, ce que c'était que cette mule papale et ce coup de
pied gardé pendant sept ans. Personne ici n'a pu me renseigner à ce sujet, pas même Francet Mamaï, mon joueur
de fifre, qui connaît pourtant son légendaire provençal
sur le bout du doigt. Francet pense, comme moi, qu'il y a
là-dessous quelque ancienne chronique du pays d'Avignon ; mais il n'en a jamais entendu parler autrement que
par le proverbe...

— Vous ne trouverez cela qu'à la bibliothèque des
Cigales, m'a dit le vieux fifre en riant.

L'idée m'a paru bonne, et, comme la bibliothèque
des Cigales est à ma porte, je suis allé m'y enfermer
pendant huit jours.

C'est une bibliothèque merveilleuse, admirablement
montée, ouverte aux poètes jour et nuit, et desservie par
de petits bibliothécaires à cymbales qui vous font de la
musique tout le temps. J'ai passé là quelques journées
délicieuses, et, après une semaine de recherches, — sur le

dos, — j'ai fini par découvrir ce que je voulais, c'est-à-dire l'histoire de ma mule et de ce fameux coup de pied gardé pendant sept ans. Le conte en est joli quoiqu'un peu naïf, et je vais essayer de vous le dire tel que je l'ai lu hier matin dans un manuscrit couleur du temps, qui sentait bon la lavande sèche et avait de grands fils de la Vierge pour signets.

————————

Qui n'a pas vu Avignon du temps des papes, n'a rien vu. Pour la gaieté, la vie, l'animation, le train des fêtes, jamais une ville pareille. C'était, du matin au soir, des processions, des pèlerinages, les rues jonchées de fleurs, tapissées de hautes lices, des arrivages de cardinaux par le Rhône, bannières au vent, galères pavoisées, les soldats du Pape qui chantaient du latin sur les places, les crécelles des frères quêteurs ; puis, du haut en bas des maisons qui se pressaient en bourdonnant autour du grand palais papal comme des abeilles autour de leur ruche, c'était encore le tic tac des métiers à dentelles, le va-et-vient des navettes tissant l'or des chasubles, les petits marteaux des ciseleurs de burettes, les tables d'harmonie qu'on ajustait chez les luthiers, les cantiques des ourdisseuses ; par là-dessus le bruit des cloches, et toujours quelques tambourins qu'on entendait ronfler, là-bas, du côté du pont. Car chez nous, quand le peuple est content, il faut qu'il danse, il faut qu'il danse ; et comme en ce temps-là les rues de la ville étaient trop étroites pour la farandole, fifres et tambourins se postaient sur le pont d'Avignon, au vent frais du Rhône, et jour et nuit l'on y dansait, l'on y dansait... Ah ! l'heureux temps ! l'heureuse ville ! Des hallebardes qui ne coupaient pas ; des prisons d'État où l'on mettait le vin à rafraîchir ! Jamais de disette ; jamais de guerre !... Voilà comment les Papes du Comtat savaient gouverner leur peuple ; voilà pourquoi leur peuple les a tant regrettés !...

Il y en a un surtout, un bon vieux, qu'on appelait Boniface... Oh ! celui-là, que de larmes on a versées en Avignon quand il est mort. C'était un prince si aimable, si avenant ! Il vous riait si bien du haut de sa mule ! Et quand vous passiez près de lui, — fussiez-vous un pauvre petit tireur de garance ou le grand viguier de la ville, — il vous donnait sa bénédiction si poliment ! Un vrai pape d'Yvetot, mais d'un Yvetot de Provence, avec quelque chose de fin dans le rire et un brin de marjolaine à sa barrette.

Tous les dimanches, en sortant de vêpres, le digne homme allait visiter sa vigne, — une petite vigne qu'il avait plantée lui-même, à trois lieues d'Avignon, dans les myrtes de Châteauneuf ; et quand il était là-haut, assis au bon soleil, sa mule près de lui, ses cardinaux tout autour, étendus aux pieds des souches, alors il faisait déboucher un flacon de vin du cru, — ce beau vin couleur de rubis qui s'est appelé depuis le châteauneuf-des-papes, — et il le dégustait par petits coups, en regardant sa vigne d'un air attendri. Puis, le flacon vidé, le jour tombant, il rentrait joyeusement à la ville, suivi de tout son chapitre ; et, lorsqu'il passait sur le pont d'Avignon, au milieu des tambours et des farandoles, sa mule, mise en train par la musique, prenait un petit amble sautillant, tandis que lui-même il marquait le pas de la danse avec sa barrette, ce qui scandalisait fort ses cardinaux, mais faisait dire à tout le peuple : « Ah ! le bon prince ! Ah ! le brave Pape ! »

———

Après sa vigne de Châteauneuf, ce que le Pape aimait le plus au monde, c'était sa mule. Le bonhomme en raffolait, de cette bête-là. Tous les soirs, avant de se coucher, il allait voir si son écurie était bien fermée, si rien ne manquait dans sa mangeoire, et jamais il ne se serait levé de

AVIGNON VU DU PONT SAINT-BÉNÉZET

table sans faire préparer sous ses yeux un grand bol de vin à la française, avec beaucoup de sucre et d'aromates, qu'il allait lui porter lui-même, malgré les observations de ses cardinaux... Il faut dire aussi que la bête en valait la peine. C'était une belle mule noire mouchetée de rouge, le pied sûr, le poil luisant, la croupe large et pleine, portant fièrement sa petite tête sèche toute harnachée de pompons, de nœuds, de grelots d'argent, de bouffettes ; avec cela douce comme un ange, l'œil naïf, et deux longues oreilles, toujours en branle, qui lui donnaient l'air bon enfant... Tout Avignon la respectait, et, quand elle allait dans les rues, il n'y avait pas de bonnes manières qu'on ne lui fît ; car chacun savait que c'était le plus sûr moyen d'être bien en cour, et qu'avec son air innocent, la mule du Pape en avait mené plus d'un à la fortune, à preuve Tistet Védène et sa prodigieuse aventure.

Ce Tistet Védène était, dans le principe, un effronté galopin, que son père, Guy Védène, le sculpteur d'or, avait été obligé de chasser de chez lui, parce qu'il ne voulait rien faire et débauchait les apprentis. Pendant six mois on le vit traîner sa jaquette dans tous les ruisseaux d'Avignon, mais principalement du côté de la maison papale ; car le drôle avait depuis longtemps son idée sur la mule du Pape, et vous allez voir que c'était quelque chose de malin... Un jour que Sa Sainteté se promenait toute seule sous les remparts avec sa bête, voilà mon Tistet qui l'aborde et lui dit en joignant les mains d'un air d'admiration :

— Ah ! mon Dieu ! grand Saint-Père, quelle brave mule vous avez là !... Laissez un peu que je la regarde... Ah ! mon Pape, la belle mule !... L'empereur d'Allemagne n'en a pas une pareille.

Et il la caressait, et il lui parlait doucement comme à une demoiselle :

— Venez çà, mon bijou, mon trésor, ma perle fine...

Et le bon Pape, tout ému, se disait dans lui-même :

AVIGNON : LES REMPARTS

— Quel bon petit garçonnet !... Comme il est gentil avec ma mule !

Et puis le lendemain savez-vous ce qui arriva ? Tistet Védène troqua sa vieille jaquette jaune contre une belle aube en dentelles, un camail de soie violette, des souliers à boucles, et il entra dans la maîtrise du Pape, où jamais avant lui on n'avait reçu que des fils de nobles et des neveux de cardinaux...

Voilà ce que c'est que l'intrigue !... Mais Tistet ne s'en tint pas là.

Une fois au service du Pape, le drôle continua le jeu qui lui avait si bien réussi. Insolent avec tout le monde, il n'avait d'attentions ni de prévenances que pour la mule, et toujours on le rencontrait par les cours du palais avec une poignée d'avoine ou une bottelée de sainfoin, dont il secouait gentiment les grappes roses en regardant le balcon du Saint-Père, d'un air de dire : « Hein !... pour qui ça ?... » Tant et tant qu'à la fin le bon Pape, qui se sentait devenir vieux, en arriva à lui laisser le soin de veiller sur l'écurie et de porter à la mule son bol de vin à la française ; ce qui ne faisait pas rire les cardinaux.

———————

Ni la mule non plus, cela ne la faisait pas rire... Maintenant, à l'heure de son vin, elle voyait toujours arriver chez elle cinq ou six petits clercs de maîtrise qui se fourraient vite dans la paille avec leurs camails et leurs dentelles ; puis, au bout d'un moment, une bonne odeur chaude de caramel et d'aromates emplissait l'écurie, et Tistet Védène apparaissait portant avec précaution le bol de vin à la française. Alors le martyre de la pauvre bête commençait.

Ce vin parfumé qu'elle aimait tant, qui lui tenait chaud, qui lui mettait des ailes, on avait la cruauté de le lui apporter, là, dans sa mangeoire, de le lui faire respirer ; puis, quand elle en avait les narines pleines, passe, je t'ai vu ! La belle liqueur de flamme rose s'en allait toute dans le gosier de ces garnements... Et encore s'ils n'avaient fait que lui voler son vin ; mais c'étaient comme des diables, tous ces petits clercs, quand ils avaient bu !... L'un lui tirait les oreilles, l'autre la queue ; Quiquet lui montait sur le dos, Béluguet lui essayait sa barrette, et pas un de ces galopins ne songeait que d'un coup de reins ou d'une ruade la brave bête aurait pu les envoyer tous dans l'étoile polaire, et même plus loin... Mais non ! On n'est pas pour rien la mule du Pape, la mule des bénédictions et des indulgences... Les enfants avaient beau faire, elle ne se fâchait pas ; et ce n'est qu'à Tistet Védène qu'elle en voulait... Celui-là, par exemple, quand elle le sentait derrière elle, son sabot lui démangeait, et vraiment il y avait bien de quoi. Ce vaurien de Tistet lui jouait de si vilains tours ! il avait de si cruelles inventions après boire !...

Est-ce qu'un jour il ne s'avisa pas de la faire monter avec lui dans le clocheton de la maîtrise, là-haut, tout là-haut, à la pointe du palais... Et ce que je vous dis là n'est pas un conte, deux cent mille Provençaux l'ont vu. Vous figurez-vous la terreur de cette malheureuse mule, lorsque, après avoir tourné pendant une heure à l'aveuglette dans un escalier en colimaçon et grimpé je ne sais combien de marches, elle se trouva tout à coup sur une plateforme éblouissante de lumière, et qu'à mille pieds au-dessous d'elle elle aperçut tout un Avignon fantastique, les baraques du marché pas plus grosses que des noisettes, les soldats du Pape devant leur caserne comme des fourmis rouges, et là-bas, sur un fil d'argent, un petit pont microscopique où l'on dansait, où l'on dansait... Ah ! pauvre bête ! quelle panique ! Du cri qu'elle en poussa, toutes les vitres du palais tremblèrent.

— Qu'est-ce qu'il y a ? qu'est-ce qu'on lui fait ? s'écria le bon Pape en se précipitant sur son balcon.

Tistet Védène était déjà dans la cour, faisant mine de pleurer et de s'arracher les cheveux :

— Ah ! grand saint-père, ce qu'il y a !... Il y a que votre mule... Mon Dieu ! qu'allons-nous devenir ?... Il y a que votre mule est montée dans le clocheton...

— Toute seule ???

— Oui, grand Saint-Père, toute seule... Tenez ! regardez-la, là-haut... Voyez-vous le bout de ses oreilles qui passe ?... On dirait deux hirondelles !...

— Miséricorde !... fit le pauvre Pape en levant les yeux. Mais elle est donc devenue folle ! Mais elle va se tuer... Veux-tu bien descendre, malheureuse !...

Pécaïre ! elle n'aurait pas mieux demandé, elle, que de descendre... mais par où ? L'escalier, il n'y fallait pas songer : ça se monte encore, ces choses-là ; mais à la descente, il y aurait de quoi se rompre cent fois les jambes... Et la pauvre mule se désolait, et, tout en rôdant sur la plate-forme avec ses gros yeux pleins de vertige, elle pensait à Tistet Védène :

— Ah ! bandit, si j'en réchappe... quel coup de sabot demain matin !

Cette idée de coup de sabot lui redonnait un peu de cœur aux jambes ; sans cela elle n'aurait pas pu se tenir... Enfin on parvint à la tirer de là-haut, mais ce fut toute une affaire. Il fallut la descendre avec un cric, des cordes, une civière. Et vous pensez quelle humiliation pour la mule d'un pape de se voir pendue à cette hauteur, nageant des pattes dans le vide comme un hanneton au bout d'un fil ! Et tout Avignon qui la regardait !

La malheureuse bête n'en dormit pas de la nuit. Il lui semblait toujours qu'elle tournait sur cette maudite plate-forme, avec les rires de la ville au-dessous. Puis elle pensait à cet infâme Tistet Védène et au joli coup de sabot qu'elle allait lui détacher le lendemain matin. Ah ! mes amis, quel coup de sabot ! De Pampelune on en verrait la fumée... Or, pendant qu'on lui préparait cette belle réception à l'écurie, savez-vous ce que faisait Tistet Védène ? Il descendait le Rhône en chantant sur une galère papale, et s'en allait à la cour de Naples avec la troupe de jeunes nobles que la ville envoyait tous les ans près de la reine Jeanne, pour s'exercer à la diplomatie et aux belles manières. Tistet n'était pas noble ; mais le Pape tenait à le récompenser des soins qu'il avait donnés à sa bête, et principalement de l'activité qu'il venait de déployer pendant la journée du sauvetage.

C'est la mule qui fut désappointée le lendemain !

— Ah ! le bandit ! il s'est douté de quelque chose !... pensait-elle en secouant ses grelots avec fureur. Mais c'est égal, va, mauvais ! tu le retrouveras au retour, ton coup de sabot... je te le garde !

Et elle le lui garda.

Après le départ de Tistet, la mule du Pape retrouva son train de vie tranquille et ses allures d'autrefois. Plus de Quiquet, plus de Béluguet à l'écurie. Les beaux jours du vin à la française étaient revenus, et avec eux la bonne humeur, les longues siestes, et le petit pas de gavotte quand elle passait sur le pont d'Avignon. Pourtant, depuis son aventure, on lui marquait toujours un peu de froideur dans la ville. Il y avait des chuchotements sur sa route ; les vieilles gens hochaient la tête, les enfants riaient en se montrant le clocheton. Le bon Pape lui-même n'avait plus autant de confiance en son amie, et, lorsqu'il se laissait aller à faire un petit somme sur son dos, le dimanche, en revenant de la vigne, il gardait toujours cette arrière-pensée : « Si j'allais me réveiller là-haut, sur la plate-forme ! » La mule voyait cela, et elle en souffrait, sans rien dire ; seulement, quand on prononçait le nom de Tistet Védène devant elle, ses longues oreilles frémissaient, et elle aiguisait avec un petit rire le fer de ses sabots sur le pavé.

Sept ans se passèrent ainsi ; puis, au bout de ces sept années, Tistet Védène revint de la cour de Naples. Son temps n'était pas encore fini là-bas ; mais il avait appris que le premier moutardier du Pape venait de mourir subitement en Avignon, et, comme la place lui semblait bonne, il était arrivé en grande hâte pour se mettre sur les rangs.

Quand cet intrigant de Védène entra dans la salle du palais, le Saint-Père eut peine à le reconnaître, tant il avait grandi et pris du corps. Il faut dire aussi que le bon Pape s'était fait vieux de son côté, et qu'il n'y voyait pas bien sans besicles.

Tistet ne s'intimida pas :

— Comment ! grand Saint-Père, vous ne me reconnaissez plus ?... C'est moi, Tistet Védène !...

— Védène ?...

— Mais oui, vous savez bien... celui qui portait le vin français à votre mule.

— Ah ! oui... oui... je me rappelle... Un bon petit garçonnet, ce Tistet Védène !... Et maintenant, qu'est-ce qu'il veut de nous ?

— Oh ! peu de chose, grand Saint-Père... Je venais vous demander... A propos, est-ce que vous l'avez toujours, votre mule ? Et elle va bien ?... Ah ! tant mieux !... Je venais vous demander la place du premier moutardier qui vient de mourir.

— Premier moutardier, toi !... Mais tu es trop jeune. Quel âge as-tu donc ?

— Vingt ans deux mois, illustre pontife, juste cinq ans de plus que votre mule... Ah ! palme de Dieu, la brave bête !... Si vous saviez comme je l'aimais, cette mule-là !... comme je me suis langui d'elle en Italie !... Est-ce que vous ne me la laisserez pas voir ?...

— Si, mon enfant, tu la verras..., fit le bon Pape tout ému. Et puisque tu l'aimes tant, cette brave bête, je ne veux plus que tu vives loin d'elle. Dès ce jour je t'attache à ma personne en qualité de premier moutardier... Mes cardinaux crieront, mais tant pis ! j'y suis habitué...

Viens nous trouver demain, à la sortie de vêpres, nous te
remettrons les insignes de ton grade en présence de notre
chapitre, et puis... je te mènerai voir la mule, et tu vien-
dras à la vigne avec nous deux... hé ! hé ! Allons ! va...

Si Tistet Védène était content en sortant de la grande
salle, avec quelle impatience il attendit la cérémonie du
lendemain, je n'ai pas besoin de vous le dire. Pourtant il
y avait dans le palais quelqu'un de plus heureux encore
et de plus impatient que lui : c'était la mule. Depuis le
retour de Védène jusqu'aux vêpres du jour suivant, la
terrible bête ne cessa de se bourrer d'avoine et de tirer au
mur avec ses sabots de derrière. Elle aussi se préparait
pour la cérémonie...

Et donc, le lendemain, lorsque vêpres furent dites, Tistet Védène fit son entrée dans la cour du palais papal.
Tout le haut clergé était là, les cardinaux en robes rouges,
l'avocat du diable en velours noir, les abbés du couvent
avec leurs petites mitres, les marguilliers de Saint-Agrico,
les camails violets de la maîtrise, le bas clergé aussi, les
soldats du Pape en grand uniforme, les trois confréries de
pénitents, les ermites du mont Ventoux avec leurs mines
farouches et le petit clerc qui va derrière en portant la
clochette, les frères flagellants, nus jusqu'à la ceinture,
les sacristains fleuris en robes de juges, tous, tous, jusqu'aux donneurs d'eau bénite, et celui qui allume, et
celui qui éteint : il n'y en avait pas un qui manquât...
Ah ! c'était une belle ordination ! Des cloches, des pétards, du soleil, de la musique, et toujours ces enragés de
tambourins qui menaient la danse, là-bas, sur le pont
d'Avignon...

Quand Védène parut au milieu de l'assemblée, sa prestance et sa belle mine y firent courir un murmure d'admiration. C'était un magnifique Provençal, mais des blonds,
avec de grands cheveux frisés au bout et une petite barbe
follette qui semblait prise aux copeaux de fin métal tombés du burin de son père, le sculpteur d'or. Le bruit cou-

rait que dans cette barbe blonde les doigts de la reine
Jeanne avaient quelquefois joué ; et le sire de Védène
avait bien, en effet, l'air glorieux et le regard distrait
des hommes que les reines ont aimés... Ce jour-là, pour
faire honneur à sa nation, il avait remplacé ses vêtements
napolitains par une jaquette bordée de rose à la provençale, et sur son chaperon tremblait une grande plume
d'ibis de Camargue.

Sitôt entré, le premier moutardier salua d'un air galant, et se dirigea vers le haut perron, où le Pape l'attendait pour lui remettre les insignes de son grade : la cuiller
de buis jaune et l'habit de safran. La mule était au bas de
l'escalier, toute harnachée et prête à partir pour la vigne...
Quand il passa près d'elle, Tistet Védène eut un bon sourire et s'arrêta pour lui donner deux ou trois petites ta-
pes amicales sur le dos, en regardant du coin de l'œil si le
Pape le voyait. La position était bonne... La mule prit
son élan :

— Tiens ! attrape, bandit ! Voilà sept ans que je te le
garde !

Et elle vous lui détacha un coup de sabot si terrible, si
terrible, que de Pampelune même on en vit la fumée, un
tourbillon de fumée blonde où voltigeait une plume d'ibis :
tout ce qui restait de l'infortuné Tistet Védène...

Les coups de pied de mule ne sont pas aussi fou-
droyants d'ordinaire ; mais celle-ci était une mule papale ; et puis, pensez donc ! elle le lui gardait depuis sept
ans... Il n'y a pas de plus bel exemple de rancune ec-
clésiastique.

*Un mai qui se trouve au sud de
la France à l'embouchure du Rhône

LE PHARE DES SANGUINAIRES

CETTE nuit je n'ai pas pu dormir. Le mistral était en colère et les éclats de sa grande voix m'ont tenu éveillé jusqu'au matin. Balançant lourdement ses ailes mutilées qui sifflaient à la bise comme les agrès d'un navire, tout le moulin craquait. Des tuiles s'envolaient de sa toiture en déroute. Au loin, les pins serrés dont la colline est couverte s'agitaient et bruissaient dans l'ombre. On se serait cru en pleine mer...

Cela m'a rappelé tout à fait mes belles insomnies d'il y a trois ans, quand j'habitais le phare des Sanguinaires, là-bas, sur la côte corse, à l'entrée du golfe d'Ajaccio.

Encore un joli coin que j'avais trouvé là pour rêver et pour être seul.

Figurez-vous une île rougeâtre et d'aspect farouche ; le phare à une pointe, à l'autre une vieille tour génoise où, de mon temps, logeait un aigle. En bas, au bord de l'eau, un lazaret en ruine, envahi de partout par les herbes ; puis des ravins, des maquis, de grandes roches, quelques chèvres sauvages, de petits chevaux corses gambadant la crinière au vent ; enfin là-haut, tout en haut, dans un tourbillon d'oiseaux de mer, la maison du phare, avec sa plate-forme en maçonnerie blanche, où les gardiens se promènent de long en large, la porte verte en ogive, la petite tour de fonte, et au-dessus la grosse lanterne à facettes qui flambe au soleil et fait de la lumière même pen-

LA CORSE

dant le jour... Voilà l'île des Sanguinaires, comme je l'ai
revue cette nuit, en entendant ronfler mes pins. C'est dans
cette île enchantée qu'avant d'avoir un moulin, j'allais
m'enfermer quelquefois, lorsque j'avais besoin de grand
air et de solitude.

Ce que je faisais ?

Ce que je fais ici, moins encore. Quand le mistral ou la
tramontane ne soufflaient pas trop fort, je venais me
mettre entre deux roches au ras de l'eau, au milieu des
goélands, des merles, des hirondelles, et j'y restais presque tout le jour dans cette espèce de stupeur et d'accablement délicieux que donne la contemplation de la mer.
Vous connaissez, n'est-ce pas, cette jolie griserie de
l'âme ? On ne pense pas, on ne rêve pas non plus. Tout
votre être vous échappe, s'envole, s'éparpille. On est la
mouette qui plonge, la poussière d'écume qui flotte au
soleil entre deux vagues, la fumée blanche de ce paquebot
qui s'éloigne, ce petit corailleur à voile rouge, cette perle
d'eau, ce flocon de brume, tout excepté soi-même... Oh !
que j'en ai passé dans mon île de ces belles heures de demi-
sommeil et d'éparpillement !...

Les jours de grand vent, le bord de l'eau n'étant pas
tenable, je m'enfermais dans la cour du lazaret, une petite cour mélancolique, tout embaumée de romarin et
d'absinthe sauvage, et là, blotti contre un pan de vieux
mur, je me laissais envahir doucement par le vague parfum d'abandon et de tristesse qui flottait avec le soleil
dans les logettes de pierre, ouvertes tout autour comme
d'anciennes tombes. De temps en temps un battement de
porte, un bond léger dans l'herbe... C'était une chèvre qui
venait brouter à l'abri du vent. En me voyant, elle s'arrêtait interdite, et restait plantée devant moi, l'air vif, la
corne haute, me regardant d'un œil enfantin...

Vers cinq heures, le porte-voix des gardiens m'appelait
pour le dîner. Je prenais alors un petit sentier dans le maquis grimpant à pic au-dessus de la mer, et je revenais

LES ÎLES SANGUINAIRES

lentement vers le phare, me retournant à chaque pas sur
cet immense horizon d'eau et de lumière qui semblait
s'élargir à mesure que je montais.

———

Là-haut c'était charmant. Je vois encore cette belle
salle à manger à larges dalles, à lambris de chêne, la
bouillabaisse fumant au milieu, la porte grande ouverte
sur la terrasse blanche et tout le couchant qui entrait...
Les gardiens étaient là, m'attendant pour se mettre à
table. Il y en avait trois, un Marseillais et deux Corses,
tous trois petits, barbus, le même visage tanné, crevassé,
le même *pelone* (caban) en poil de chèvre, mais d'allure et
d'humeur entièrement opposées.

A la façon de vivre de ces gens, on sentait tout de suite
la différence des deux races. Le Marseillais, industrieux
et vif, toujours affairé, toujours en mouvement, courait
l'île du matin au soir, jardinant, pêchant, ramassant des
œufs de *gouailles*, s'embusquant dans le maquis pour
traire une chèvre au passage ; et toujours quelque aïoli
ou quelque bouillabaisse en train.

Les Corses, eux, en dehors de leur service, ne s'occu-
paient absolument de rien ; ils se considéraient comme des
fonctionnaires, et passaient toutes leurs journées dans
la cuisine à jouer d'interminables parties de *scopa*, ne
s'interrompant que pour rallumer leurs pipes d'un air
grave, et hacher avec des ciseaux, dans le creux de leurs
mains, de grandes feuilles de tabac vert...

Du reste, Marseillais et Corses, tous trois de bonnes
gens, simples, naïfs, et pleins de prévenances pour leur
hôte, quoiqu'au fond il dût leur paraître un monsieur
bien extraordinaire...

Pensez donc, venir s'enfermer au phare pour son plaisir !... Eux qui trouvent les journées si longues, et qui
sont si heureux quand c'est leur tour d'aller à terre...

Dans la belle saison, ce grand bonheur leur arrive tous les mois. Dix jours de terre pour trente jours de phare, voilà le règlement ; mais avec l'hiver et les gros temps, il n'y a plus de règlement qui tienne. Le vent souffle, la vague monte, les Sanguinaires sont blanches d'écume, et les gardiens de service restent bloqués deux ou trois mois de suite, quelquefois même dans de terribles conditions.

— Voici ce qui m'est arrivé à moi, monsieur, me contait un jour le vieux Bartoli, pendant que nous dînions ; voici ce qui m'est arrivé il y a cinq ans, à cette même table où nous sommes, un soir d'hiver, comme maintenant. Ce soir-là, nous n'étions que deux dans le phare, moi et un camarade qu'on appelait Tchéco... Les autres étaient à terre, malades, en congé, je ne sais plus... Nous finissions de dîner, bien tranquilles... Tout à coup voilà mon camarade qui s'arrête de manger, me regarde un moment avec de drôles d'yeux, et, pouf ! tombe sur la table, les bras en avant. Je vais à lui, je le secoue, je l'appelle :

« — O ! Tché !... Oh ! Tché !...

« Rien ! il était mort... Vous jugez quelle émotion ! Je restai plus d'une heure stupide et tremblant devant ce cadavre. Puis subitement cette idée me vient : « Et le phare ! » Je n'eus que le temps de monter dans la lanterne et d'allumer. La nuit était déjà là... Quelle nuit, monsieur ! La mer, le vent, n'avaient plus leurs voix naturelles. A tout moment il me semblait que quelqu'un m'appelait dans l'escalier... Avec cela, une fièvre, une soif ! Mais vous ne m'auriez pas fait descendre... j'avais trop peur du mort ! Pourtant, au petit jour, le courage me revint un peu. Je portai mon camarade sur son lit ; un drap dessus, un bout de prière, et puis vite aux signaux d'alarme.

« Malheureusement la mer était trop grosse ; j'eus beau appeler, appeler, personne ne vint... Me voilà seul dans le phare avec mon pauvre Tchéco, et Dieu sait pour combien de temps !... J'espérais pouvoir le garder près de moi jusqu'à l'arrivée du bateau ; mais au bout de trois jours ce n'était plus possible... Comment faire ? Le porter dehors, l'enterrer ? La roche était trop dure, et il y a tant de corbeaux dans l'île ! C'était pitié de leur abandonner ce chrétien. Alors je songeai à le descendre dans une des logettes du lazaret... Ça me prit toute une après-midi, cette triste corvée-là, et je vous réponds qu'il m'en fallut, du courage... Tenez ! monsieur, encore aujourd'hui, quand je descends ce côté de l'île par une après-midi de grand vent, il me semble que j'ai toujours le mort sur les épaules... »

Pauvre vieux Bartoli ! La sueur lui en coulait sur le front, rien que d'y penser.

———

Nos repas se passaient ainsi à causer longuement : le phare, la mer, des récits de naufrages, des histoires de bandits corses... Puis, le jour tombant, le gardien du premier quart allumait sa petite lampe, prenait sa pipe, sa gourde, un gros Plutarque à tranche rouge, — toute la bibliothèque des Sanguinaires, — et disparaissait par le fond. Au bout d'un moment, c'était dans tout le phare un fracas de chaînes, de poulies, de gros poids d'horloges qu'on remontait.

Moi, pendant ce temps, j'allais m'asseoir dehors, sur la terrasse. Le soleil, déjà très bas, descendait vers l'eau de plus en plus vite, entraînant tout l'horizon après lui. Le vent fraîchissait, l'île devenait violette. Dans le ciel, près de moi, un gros oiseau passait lourdement : c'était l'aigle de la tour génoise qui rentrait... Peu à peu la brume de mer montait. Bientôt on ne voyait plus que l'ourlet blanc de l'écume autour de l'île... Tout à coup, au-dessus de ma tête, jaillissait un grand flot de lumière douce. Le phare était allumé. Laissant toute l'île dans l'ombre, le clair

rayon allait tomber au large sur la mer, et j'étais là perdu
dans la nuit, sous ces grandes ondes lumineuses qui m'é-
claboussaient à peine en passant... Mais le vent fraîchissait encore. Il fallait rentrer. A tâtons, je fermais
la grosse porte, j'assurais les barres de fer ; puis, toujours tâtonnant, je prenais un petit escalier de fonte
qui tremblait et sonnait sous mes pas, et j'arrivais au
sommet du phare. Ici, par exemple, il y en avait, de la
lumière !

Imaginez une lampe Carcel gigantesque à six rangs de
mèches, autour de laquelle pivotent lentement les parois
de la lanterne, les unes remplies par une énorme lentille
de cristal, les autres ouvertes sur un grand vitrage immobile qui met la flamme à l'abri du vent... En entrant
j'étais ébloui. Ces cuivres, ces étains, ces réflecteurs de
métal blanc, ces murs de cristal bombé qui tournaient
avec de grands cercles bleuâtres, tout ce miroitement,
tout ce cliquetis de lumière, me donnait un moment de
vertige.

Peu à peu, cependant, mes yeux s'y faisaient, et je
venais m'asseoir au pied même de la lampe, à côté du
gardien, qui lisait son Plutarque à haute voix, de peur de
s'endormir...

Au dehors, le noir, l'abîme. Sur le petit balcon qui
tourne autour du vitrage, le vent court comme un fou, en
hurlant. Le phare craque, la mer ronfle. A la pointe de
l'île, sur les brisants, les lames font comme des coups de
canon... Par moments, un doigt invisible frappe aux
carreaux : quelque oiseau de nuit, que la lumière attire,
et qui vient se casser la tête contre le cristal... Dans la
lanterne étincelante et chaude, rien que le crépitement de
la flamme, le bruit de l'huile qui s'égoutte, de la chaîne
qui se dévide ; et une voix monotone psalmodiant la vie
de Démétrius de Phalère...

A minuit, le gardien se levait, jetait un dernier coup d'œil à ses mèches, et nous descendions. Dans l'escalier on rencontrait le camarade du second quart qui montait en se frottant les yeux ; on lui passait la gourde, le Plutarque... Puis, avant de gagner nos lits, nous entrions un moment dans la chambre du fond, tout encombrée de chaînes, de gros poids, de réservoirs d'étain, de cordages, et là, à la lueur de sa petite lampe, le gardien écrivait sur le grand livre du phare, toujours ouvert :

Minuit. Grosse mer. Tempête. Navire au large.

L'AGONIE DE LA « SÉMILLANTE »

PUISQUE le mistral de l'autre nuit nous a jetés sur la côte corse, laissez-moi vous raconter une terrible histoire de mer dont les pêcheurs de là-bas parlent souvent à la veillée, et sur laquelle le hasard m'a fourni des renseignements fort curieux.

... Il y a deux ou trois ans de cela.

Je courais la mer de Sardaigne en compagnie de sept ou huit matelots douaniers. Rude voyage pour un novice : de tout le mois de mars, nous n'eûmes pas un jour de bon. Le vent d'est s'était acharné après nous, et la mer ne décolérait pas.

Un soir que nous fuyions devant la tempête, notre bateau vint se réfugier à l'entrée du détroit de Bonifacio, au milieu d'un massif de petites îles... Leur aspect n'avait rien d'engageant : de grands rocs pelés couverts d'oiseaux, quelques touffes d'absinthe, des maquis de lentisque, et, çà et là, dans la vase, des pièces de bois en train de pourrir ; mais, ma foi ! pour passer la nuit, ces roches sinistres valaient encore mieux que le rouf d'une vieille barque à demi pontée, où la lame entrait comme chez elle, et nous nous en contentâmes.

A peine débarqués, tandis que les matelots allumaient le feu pour faire la bouillabaisse, le patron m'appela, et, me montrant un petit enclos de maçonnerie blanche perdu dans la brume au bout de l'île :

— Venez-vous au cimetière ? me dit-il.

— Un cimetière, patron Lionetti ? Où sommes-nous donc ?

— Aux îles Lavezzi, monsieur. C'est ici que sont enterrés les six cents hommes de la *Sémillante*, à l'endroit même où leur frégate s'est perdue, il y a dix ans... Pauvres gens ! ils ne reçoivent pas beaucoup de visites ; c'est bien le moins que nous allions leur dire bonjour, puisque nous voilà...

— De tout mon cœur, patron.

————

Qu'il était triste le cimetière de la *Sémillante !*... Je le vois encore avec sa petite muraille basse, sa porte de fer, rouillée, dure à ouvrir, sa chapelle silencieuse, et des centaines de croix noires cachées par l'herbe... Pas une couronne d'immortelles, pas un souvenir, rien... Ah ! les pauvres morts abandonnés, comme ils doivent avoir froid dans leur tombe de hasard !

Nous restâmes là un moment, agenouillés. Le patron priait à haute voix. D'énormes goélands, seuls gardiens du cimetière, tournoyaient sur nos têtes et mêlaient leurs cris rauques aux lamentations de la mer.

La prière finie, nous revînmes tristement vers le coin de l'île où la barque était amarrée. En notre absence, les matelots n'avaient pas perdu leur temps. Nous trouvâmes un grand feu flambant à l'abri d'une roche, et la marmite qui fumait. On s'assit en rond, les pieds à la flamme, et bientôt chacun eut sur ses genoux, dans une écuelle de terre rouge, deux tranches de pain noir arrosées largement. Le repas fut silencieux ; nous étions mouillés, nous avions faim, et puis le voisinage du cimetière... Pourtant, quand les écuelles furent vidées, on alluma les pipes et on se mit à causer un peu. Naturellement, on parlait de la *Sémillante*.

LE CIMETIÈRE DES ÎLES LAVEZZI

— Mais enfin, comment la chose s'est-elle passée ? demandai-je au patron qui, la tête dans ses mains, regardait la flamme d'un air pensif.

— Comment la chose s'est passée, me répondit le bon Lionetti avec un gros soupir, hélas ! monsieur, personne au monde ne pourrait le dire. Tout ce que nous savons, c'est que la *Sémillante*, chargée de troupes pour la Crimée, était partie de Toulon, la veille au soir, avec le mauvais temps. La nuit, ça se gâta encore. Du vent, de la pluie, la mer énorme comme on ne l'avait jamais vue... Le matin, le vent tomba un peu, mais la mer était toujours dans tous ses états, et avec cela une sacrée brume du diable à ne pas distinguer un fanal à quatre pas... Ces brumes-là, monsieur, on ne se doute pas comme c'est traître... Ça ne fait rien, j'ai idée que la *Sémillante* a dû perdre son gouvernail dans la matinée, car, il n'y a pas de brume qui tienne, sans une avarie, jamais le capitaine ne serait venu s'aplatir ici contre. C'était un rude marin, que nous connaissions tous. Il avait commandé la station en Corse pendant trois ans, et savait sa côte aussi bien que moi, qui ne sais pas autre chose.

— Et à quelle heure pense-t-on que la *Sémillante* a péri ?

— Ce doit être à midi ; oui, monsieur, en plein midi... Mais, dame ! avec la brume de mer, ce plein midi-là ne valait guère mieux qu'une nuit noire comme la gueule d'un loup... Un douanier de la côte m'a raconté que ce jour-là, vers onze heures et demie, étant sorti de sa maisonnette pour rattacher ses volets, il avait eu sa casquette emportée par un coup de vent, et qu'au risque d'être enlevé lui-même par la lame, il s'était mis à courir après, le long du rivage, à quatre pattes. Vous comprenez, les douaniers ne sont pas riches, et une casquette, ça coûte cher. Or il paraîtrait qu'à un moment notre homme, en relevant la tête, aurait aperçu tout près de lui, dans la brume, un gros navire à sec de toiles qui fuyait sous le vent du côté des îles Lavezzi. Ce navire allait si vite, si vite, que le douanier n'eut guère le temps de bien voir. Tout fait croire cependant que c'était la *Sémillante*, puisque une demi-heure après le berger des îles a entendu sur ces roches... Mais précisément voici le berger dont je vous parle, monsieur ; il va vous conter la chose lui-même... Bonjour, Palombo... viens te chauffer un peu ; n'aie pas peur.

Un homme encapuchonné, que je voyais rôder depuis un moment autour de notre feu et que j'avais pris pour quelqu'un de l'équipage, car j'ignorais qu'il y eût un berger dans l'île, s'approcha de nous craintivement.

C'était un vieux lépreux, aux trois quarts idiot, atteint de je ne sais quel mal scorbutique qui lui faisait de grosses lèvres lippues, horribles à voir. On lui expliqua à grand'-peine de quoi il s'agissait. Alors, soulevant du doigt sa lèvre malade, le vieux nous raconta qu'en effet le jour en question, vers midi, il entendit de sa cabane un craquement effroyable sur les roches. Comme l'île était toute couverte d'eau, il n'avait pas pu sortir, et c'est le lende-main seulement qu'en ouvrant sa porte il avait vu le rivage encombré de débris et de cadavres laissés là par la mer. Épouvanté, il s'était enfui en courant vers sa barque, pour aller à Bonifacio chercher du monde.

————

Fatigué d'en avoir tant dit, le berger s'assit, et le pa-tron reprit la parole :

— Oui, monsieur, c'est ce pauvre vieux qui est venu nous prévenir. Il était presque fou de peur, et, de l'af-faire, sa cervelle en est restée détraquée. Le fait est qu'il y avait de quoi... Figurez-vous six cents cadavres, en tas sur le sable, pêle-mêle avec les éclats de bois et les lam-beaux de toiles... Pauvre *Sémillante !*... la mer l'avait broyée du coup, et si bien mise en miettes que dans **tous** ses débris le berger Palombo n'a trouvé qu'à grand'peine de quoi faire une palissade autour de sa hutte... Quant aux hommes, presque tous défigurés, mutilés affreusement... c'était pitié de les voir accrochés les uns aux autres, par grappes... Nous trouvâmes le capitaine en grand costume, l'aumônier son étole au cou ; dans un coin, entre deux roches, un petit mousse, les yeux ouverts... on aurait cru qu'il vivait encore ; mais non ! Il était dit que pas un n'en réchapperait.

Ici le patron s'interrompit :

— Attention, Nardi, cria-t-il, le feu s'éteint.

Nardi jeta sur la braise deux ou trois morceaux de planches goudronnées qui s'enflammèrent, et Lionetti continua :

— Ce qu'il y a de plus triste dans cette histoire, le voici... Trois semaines avant le sinistre, une petite corvette, qui allait en Crimée comme la *Sémillante*, avait fait naufrage de la même façon, presque au même endroit ; seulement, cette fois-là, nous étions parvenus à sauver l'équipage et vingt soldats du train qui se trouvaient à bord... Ces pauvres tringlos n'étaient pas à leur affaire, vous pensez ! On les emmena à Bonifacio, et nous les gardâmes pendant deux jours avec nous, à la *marine*... Une fois bien secs et remis sur pied, bonsoir ! bonne chance ! ils retournèrent à Toulon, où, quelque temps après, on les embarqua de nouveau pour la Crimée... Devinez sur quel navire ?... Sur la *Sémillante*, monsieur... Nous les avons retrouvés tous, tous les vingt, couchés parmi les morts, à la place où nous sommes... Je relevai moi-même un joli brigadier à fines moustaches, un blondin de Paris que j'avais couché à la maison et qui nous avait fait rire tout le temps avec ses histoires... De le voir là, ça me creva le cœur... Ah ! Santa Madre !...

Là-dessus, le brave Lionetti, tout ému, secoua les cendres de sa pipe et se roula dans son caban en me souhaitant la bonne nuit... Pendant quelque temps encore, les matelots causèrent entre eux à demi-voix... Puis, l'une

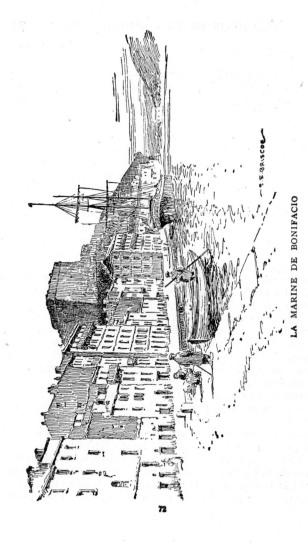

LA MARINE DE BONIFACIO

après l'autre les pipes s'éteignirent... On ne parla plus...
Le vieux berger s'en alla, et je restai seul à rêver au milieu de l'équipage endormi.

———

Encore sous l'impression du lugubre récit que je venais d'entendre, j'essayais de reconstruire dans ma pensée le pauvre navire défunt et l'histoire de cette agonie
dont les goélands ont été seuls témoins. Quelques détails
qui m'avaient frappé, le capitaine en grand costume,
l'étole de l'aumônier, les vingt soldats du train, m'ai-
daient à deviner toutes les péripéties du drame... Je
voyais la frégate partant de Toulon dans la nuit... Elle
sort du port. La mer est mauvaise, le vent terrible ; mais
on a pour capitaine un vaillant marin, et tout le monde
est tranquille à bord...

Le matin, la brume de mer se lève. On commence à
être inquiet. Tout l'équipage est en haut. Le capitaine ne
quitte pas la dunette... Dans l'entrepont, où les soldats
sont renfermés, il fait noir ; l'atmosphère est chaude.
Quelques-uns sont malades, couchés sur leurs sacs. Le navire tangue horriblement ; impossible de se tenir debout.
On cause assis à terre, par groupes, en se cramponnant
aux bancs ; il faut crier pour s'entendre. Il y en a qui
commencent à avoir peur... Écoutez donc ! Les naufrages
sont fréquents dans ces parages-ci ; les tringlos sont là
pour le dire, et ce qu'ils racontent n'est pas rassurant.
Leur brigadier surtout, un Parisien qui blague toujours,
vous donne la chair de poule avec ses plaisanteries :

— Un naufrage !... mais c'est très amusant, un naufrage. Nous en serons quittes pour un bain à la glace, et
puis on nous mènera à Bonifacio, histoire de manger des
merles chez le patron Lionetti.

Et les tringlos de rire... ← →[Historie Infinishee]

Tout à coup, un craquement... Qu'est-ce que c'est? Qu'arrive-t-il?...

— Le gouvernail vient de partir, dit un matelot tout mouillé qui traverse l'entrepont en courant.

— Bon voyage ! crie cet enragé de brigadier ; mais cela ne fait plus rire personne.

Grand tumulte sur le pont. La brume empêche de se voir. Les matelots vont et viennent, effrayés, à tâtons... Plus de gouvernail ! La manœuvre est impossible... La *Sémillante*, en dérive, file comme le vent... C'est à ce moment que le douanier la voit passer ; il est onze heures et demie. A l'avant de la frégate, on entend comme des coups de canon... Les brisants ! les brisants !... C'est fini, il n'y a plus d'espoir, on va droit à la côte... Le capitaine descend dans sa cabine... Au bout d'un moment, il vient reprendre sa place sur la dunette, — en grand costume... Il a voulu se faire beau pour mourir.

Dans l'entrepont, les soldats, anxieux, se regardent, sans rien dire... Les malades essayent de se redresser... le petit brigadier ne rit plus... C'est alors que la porte s'ouvre et que l'aumônier paraît sur le seuil avec son étole :

— A genoux, mes enfants !

Tout le monde obéit. D'une voix retentissante, le prêtre commence la prière des agonisants.

Soudain, un choc formidable, un cri, un seul cri, un cri immense, des bras tendus, des mains qui se cramponnent, des regards effarés où la vision de la mort passe comme un éclair...

Miséricorde !...

C'est ainsi que je passai toute la nuit à rêver, évoquant, à dix ans de distance, l'âme du pauvre navire dont les débris m'entouraient... Au loin, dans le détroit, la tempête faisait rage ; la flamme du bivac se courbait sous la rafale, et j'entendais notre barque danser au pied des roches en faisant crier son amarre.

LES VIEUX

— Une lettre, père Azan ?
— Oui, monsieur... ça vient de Paris.

Il était tout fier que ça vînt de Paris, ce brave père Azan... Pas moi. Quelque chose me disait que cette Parisienne de la rue Jean-Jacques, tombant sur ma table à l'improviste et de si grand matin, allait me faire perdre toute ma journée. Je ne me trompais pas, voyez plutôt :

Il faut que tu me rendes un service, mon ami. Tu vas fermer ton moulin pour un jour et t'en aller tout de suite à Eyguières... Eyguières est un gros bourg à trois ou quatre lieues de chez toi, — une promenade. En arrivant, tu demanderas le couvent des Orphelines. La première maison après le couvent est une maison basse à volets gris avec un jardinet derrière. Tu entreras sans frapper, — la porte est toujours ouverte, — et, en entrant, tu crieras bien fort : « Bonjour, braves gens ! Je suis l'ami de Maurice... » Alors, tu verras deux petits vieux, oh ! mais vieux, vieux, archivieux, te tendre les bras du fond de leurs grands fauteuils, et tu les embrasseras de ma part, avec tout ton cœur, comme s'ils étaient à toi. Puis vous causerez ; ils te parleront de moi, rien que de moi ; ils te raconteront mille folies que tu écouteras sans rire... Tu ne riras pas, hein ?... Ce sont mes grands-parents, deux êtres dont je suis toute la vie et qui ne m'ont pas vu depuis dix ans... Dix ans, c'est long ! mais que veux-

*tu ! moi, Paris me tient ; eux, c'est le grand âge... Ils sont
si vieux, s'il venaient me voir, ils se casseraient en route...
Heureusement, tu es là-bas, mon cher meunier, et, en t'em-
brassant, les pauvres gens croiront m'embrasser un peu moi-
même... Je leur ai si souvent parlé de nous et de cette bonne
amitié dont...*

Le diable soit de l'amitié ! Justement ce matin-là il
faisait un temps admirable, mais qui ne valait rien pour
courir les routes : trop de mistral et trop de soleil, une
vraie journée de Provence. Quand cette maudite lettre
arriva, j'avais déjà choisi mon *cagnard* (abri) entre deux
roches, et je rêvais de rester là tout le jour, comme un
lézard, à boire de la lumière, en écoutant chanter les
pins... Enfin, que vouliez-vous faire ? Je fermai le moulin
en maugréant, je mis la clef sous la chatière. Mon bâton,
ma pipe, et me voilà parti.

J'arrivai à Eyguières vers deux heures. Le village était
désert, tout le monde aux champs. Dans les ormes du
cours, blancs de poussière, les cigales chantaient comme
en pleine Crau. Il y avait bien sur la place de la mairie un
âne qui prenait le soleil, un vol de pigeons sur la fontaine
de l'église, mais personne pour m'indiquer l'orphelinat.
Par bonheur une vieille fée m'apparut tout à coup, ac-
croupie et filant dans l'encoignure de sa porte ; je lui dis
ce que je cherchais, et comme cette fée était très puis-
sante, elle n'eut qu'à lever sa quenouille : aussitôt le couvent des orphelines se dressa devant moi comme par
magie... C'était une grande maison maussade et noire,
toute fière de montrer au-dessus de son portail en ogive
une vieille croix de grès rouge avec un peu de latin
autour. A côté de cette maison, j'en aperçus une autre
plus petite. Des volets gris, le jardin derrière... Je la re-
connus tout de suite, et j'entrai sans frapper.

Je reverrai toute ma vie ce long corridor frais et calme,
la muraille peinte en rose, le jardinet qui tremblait au

fond à travers un store de couleur claire, et sur tous les panneaux des fleurs et des violons fanés. Il me semblait que j'arrivais chez quelque vieux bailli du temps de Sedaine... Au bout du couloir, sur la gauche, par une porte entr'ouverte, on entendait le tic tac d'une grosse horloge et une voix d'enfant, mais d'enfant à l'école, qui lisait en s'arrêtant à chaque syllabe : « A... LORS... SAINT... I... RÉ... NÉE... S'É... CRI... A... JE... SUIS... LE... FRO... MENT... DU... SEIGNEUR... IL... FAUT... QUE... JE... SOIS... MOU... LU... PAR... LA... DENT... DE... CES... A... NI... MAUX... » Je m'approchai doucement de cette porte et je regardai.

Dans le calme et le demi-jour d'une petite chambre, un bon vieux à pommettes roses, ridé jusqu'au bout des doigts, dormait au fond d'un fauteuil, la bouche ouverte, les mains sur ses genoux. A ses pieds, une fillette habillée de bleu — grande pèlerine et petit béguin, le costume des orphelines — lisait la Vie de saint Irénée dans un livre plus gros qu'elle... Cette lecture miraculeuse avait opéré sur toute la maison. Le vieux dormait dans son fauteuil, les mouches au plafond, les canaris dans leur cage, là-bas sur la fenêtre. La grosse horloge ronflait, tic tac, tic tac. Il n'y avait d'éveillé dans toute la chambre qu'une grande bande de lumière qui tombait droite et blanche entre les volets clos, pleine d'étincelles vivantes et de valses microscopiques... Au milieu de l'assoupissement général, l'enfant continuait sa lecture d'un air grave : « AUS... SI... TÔT... DEUX... LIONS... SE... PRÉ... CI... PI... TÈ... RENT... SUR... LUI... ET... LE... DÉ... VO... RÈ... RENT... » C'est à ce moment que j'entrai... Les lions de saint Irénée se précipitant dans la chambre n'y auraient pas produit plus de stupeur que moi. Un vrai coup de théâtre ! La petite pousse un cri, le gros livre tombe, les canaris, les mouches se réveillent, la pendule sonne, le vieux se dresse en sursaut, tout effaré, et moi-même, un peu troublé, je m'arrête sur le seuil en criant bien fort :

— Bonjour, braves gens, je suis l'ami de Maurice.

Oh ! alors, si vous l'aviez vu, le pauvre vieux ! si vous l'aviez vu venir vers moi les bras tendus, m'embrasser, me serrer les mains, courir égaré dans la chambre, en faisant :

— Mon Dieu ! mon Dieu !...

Toutes les rides de son visage riaient. Il était rouge. Il bégayait :

— Ah ! monsieur... ah ! monsieur...

Puis il allait vers le fond en appelant :

— Mamette !

Une porte qui s'ouvre, un trot de souris dans le couloir... C'était Mamette. Rien de joli comme cette petite vieille avec son bonnet à coques, sa robe carmélite, et son mouchoir brodé qu'elle tenait à la main pour me faire honneur, à l'ancienne mode... Chose attendrissante ! ils se ressemblaient. Avec un tour et des coques jaunes, il aurait pu s'appeler Mamette, lui aussi. Seulement la vraie Mamette avait dû beaucoup pleurer dans sa vie, et elle était encore plus ridée que l'autre. Comme l'autre aussi, elle avait près d'elle une enfant de l'orphelinat, petite garde en pèlerine bleue, qui ne la quittait jamais ; et de voir ces vieillards protégés par ces orphelines, c'était ce qu'on peut imaginer de plus touchant.

En entrant, Mamette avait commencé par me faire une grande révérence, mais d'un mot le vieux lui coupa sa révérence en deux :

— C'est l'ami de Maurice...

Aussitôt la voilà qui tremble, qui pleure, qui perd son mouchoir, qui devient rouge, toute rouge, encore plus rouge que lui... Ces vieux ! ça n'a qu'une goutte de sang dans les veines, et à la moindre émotion elle leur saute au visage...

— Vite, vite, une chaise !... dit la vieille à sa petite.

— Ouvre les volets !... crie le vieux à la sienne.

Et, me prenant chacun par une main, ils m'emmènent en trottinant jusqu'à la fenêtre, qu'on a ouverte toute

grande pour mieux me voir. On approche les fauteuils,
je m'installe entre les deux sur un pliant, les petites
bleues derrière nous, et l'interrogatoire commence :

— Comment va-t-il ? Qu'est-ce qu'il fait ? Pourquoi ne
vient-il pas ? Est-ce qu'il est content ?...

Et patati ! et patata ! Comme cela pendant des heures.

Moi, je répondais de mon mieux à toutes leurs questions, donnant sur mon ami les détails que je savais, in-
ventant effrontément ceux que je ne savais pas, me gar-
dant surtout d'avouer que je n'avais jamais remarqué si
ses fenêtres fermaient bien ou de quelle couleur était le
papier de sa chambre.

— Le papier de sa chambre !... Il est bleu, madame,
bleu clair, avec des guirlandes...

— Vraiment ! faisait la pauvre vieille attendrie.

Et elle ajoutait en se tournant vers son mari :

— C'est un si brave enfant !

— Oh ! oui, c'est un brave enfant ! reprenait l'autre
avec enthousiasme.

Et, tout le temps que je parlais, c'étaient entre eux
des hochements de tête, de petits rires fins, des cligne-
ments d'yeux, des airs entendus, ou bien encore le vieux
qui se rapprochait pour me dire :

— Parlez plus fort... Elle a l'oreille un peu dure.

Et elle de son côté :

— Un peu plus haut, je vous prie... Il n'entend pas
très bien...

Alors j'élevais la voix, et tous deux me remerciaient
d'un sourire ; et dans ces sourires fanés qui se penchaient
vers moi, cherchant jusqu'au fond de mes yeux l'image
de leur Maurice, moi, j'étais tout ému de la retrouver cette
image, vague, voilée, presque insaisissable, comme si je
voyais mon ami me sourire, très loin, dans un brouillard.

Tout à coup le vieux se dresse sur son fauteuil :

— Mais j'y pense, Mamette... il n'a peut-être pas déjeuné !

Et Mamette, effarée, les bras au ciel :

— Pas déjeuné !... Grand Dieu !

Je croyais qu'il s'agissait encore de Maurice, et j'allais
répondre que ce brave enfant n'attendait jamais plus
tard que midi pour se mettre à table. Mais non, c'était
bien de moi qu'on parlait, et il faut voir quel branle-bas
quand j'avouai que j'étais encore à jeun :

— Vite le couvert, petites bleues ! La table au milieu
de la chambre, la nappe du dimanche, les assiettes à
fleurs. Et ne rions pas tant, s'il vous plaît ! et dépêchons-
nous !...

Je crois bien qu'elles se dépêchaient ! A peine le temps
de casser trois assiettes, le déjeuner se trouva servi.

— Un bon petit déjeuner ! me disait Mamette en me
conduisant à table ; seulement vous serez tout seul...
Nous autres, nous avons déjà mangé ce matin.

Ces pauvres vieux ! à quelque heure qu'on les prenne,
ils ont toujours mangé le matin.

Le bon petit déjeuner de Mamette, c'était deux doigts
de lait, des dattes et une *barquette*, quelque chose comme
un échaudé ; de quoi la nourrir elle et ses canaris au moins
pendant huit jours... Et dire qu'à moi seul je vins à bout
de toutes ces provisions !... Aussi quelle indignation autour de la table ! Comme les petites bleues chuchotaient
en se poussant du coude, et là-bas, au fond de leur cage,
comme les canaris avaient l'air de se dire : « Oh ! ce monsieur qui mange toute la *barquette !* »

Je la mangeai toute, en effet, et presque sans m'en apercevoir, occupé que j'étais à regarder autour de moi dans
cette chambre claire et paisible où flottait comme une
odeur de choses anciennes... Il y avait surtout deux petits
lits dont je ne pouvais pas détacher mes yeux. Ces lits,
presque deux berceaux, je me les figurais le matin, au

petit jour, quand ils sont encore enfouis sous leurs
grands rideaux à franges. Trois heures sonnent. C'est
l'heure où tous les vieux se réveillent :

— Tu dors, Mamette ?

— Non, mon ami.

— N'est-ce pas que Maurice est un brave enfant !

— Oh ! oui, c'est un brave enfant !

Et j'imaginais comme cela toute une causerie, rien que
pour avoir vu ces deux petits lits de vieux, dressés l'un
à côté de l'autre...

Pendant ce temps, un drame terrible se passait à l'autre bout de la chambre, devant l'armoire. Il s'agissait
d'atteindre là-haut, sur le dernier rayon, certain bocal de
cerises à l'eau-de-vie qui attendait Maurice depuis dix
ans et dont on voulait lui faire l'ouverture. Malgré les
supplications de Mamette, le vieux avait tenu à aller
chercher ses cerises lui-même ; et, monté sur une chaise
au grand effroi de sa femme, il essayait d'arriver là-
haut... Vous voyez le tableau d'ici : le vieux qui tremble
et qui se hisse, les petites bleues cramponnées à sa chaise,
Mamette derrière lui haletante, les bras tendus, et sur
tout cela un léger parfum de bergamote qui s'exhale de
l'armoire ouverte et des grandes piles de linge roux...
C'était charmant.

Enfin, après bien des efforts, on parvint à le tirer de
l'armoire, ce fameux bocal, et avec lui une vieille timbale
d'argent toute bosselée, la timbale de Maurice quand il
était petit. On me la remplit de cerises jusqu'au bord ;
Maurice les aimait tant, les cerises ! Et tout en me servant, le vieux me disait à l'oreille d'un air de gourmandise :

— Vous êtes bien heureux, vous, de pouvoir en manger... C'est ma femme qui les a faites... Vous allez goûter
quelque chose de bon.

Hélas ! sa femme les avait faites, mais elle avait oublié de les sucrer. Que voulez-vous ! on devient distrait

en vieillissant. Elles étaient atroces vos cerises, ma pauvre Mamette... mais cela ne m'empêcha pas de les manger jusqu'au bout, sans sourciller.

———

Le repas terminé, je me levai pour prendre congé de mes hôtes. Ils auraient bien voulu me garder encore un peu pour causer du brave enfant, mais le jour baissait, le moulin était loin, il fallait partir.

Le vieux s'était levé en même temps que moi :

— Mamette, mon habit !... Je veux le conduire jusqu'à la place.

Bien sûr qu'au fond d'elle-même Mamette trouvait qu'il faisait déjà un peu frais pour me conduire jusqu'à la place ; mais elle n'en laissa rien paraître. Seulement, pendant qu'elle l'aidait à passer les manches de son habit, un bel habit tabac d'Espagne à boutons de nacre, j'entendais la chère créature qui lui disait doucement :

— Tu ne rentreras pas trop tard, n'est-ce pas ?

Et lui, d'un petit air malin :

— Hé ! hé !... je ne sais pas... peut-être...

Là-dessus, ils se regardaient en riant, et les petites bleues riaient de les voir rire, et dans leur coin les canaris riaient aussi à leur manière... Entre nous, je crois que l'odeur des cerises les avait tous un peu grisés.

... La nuit tombait, quand nous sortîmes, le grand-père et moi. La petite bleue nous suivait de loin pour le ramener ; mais lui ne la voyait pas, et il était tout fier de marcher à mon bras, comme un homme. Mamette, rayonnante, voyait cela du pas de sa porte, et elle avait en nous regardant de jolis petits hochements de tête qui semblaient dire : « Tout de même, mon pauvre homme !... il marche encore. »

BALLADES EN PROSE

E N ouvrant ma porte ce matin, il y avait autour de
mon moulin un grand tapis de gelée blanche. L'herbe
luisait et craquait comme du verre, toute la colline gre-
lottait... Pour un jour ma chère Provence s'était déguisée
en pays du Nord ; et c'est parmi les pins frangés de givre,
les touffes de lavandes épanouies en bouquets de cristal,
que j'ai écrit ces deux ballades d'une fantaisie un peu
germanique, pendant que la gelée m'envoyait ses étincelles blanches, et que là-haut, dans le ciel clair, de grands
triangles de cigognes venues du pays d'Henri Heine
descendaient vers la Camargue en criant : « Il fait froid...
froid... froid. »

I

LA MORT DU DAUPHIN

Le petit Dauphin est malade, le petit Dauphin va
mourir... Dans toutes les églises du royaume, le Saint-
Sacrement demeure exposé nuit et jour et de grands
cierges brûlent pour la guérison de l'enfant royal. Les
rues de la vieille résidence sont tristes et silencieuses,
les cloches ne sonnent plus, les voitures vont au pas...
Aux abords du palais, les bourgeois curieux regardent, à

travers les grilles, des suisses à bedaines dorées qui causent dans les cours d'un air important.

Tout le château est en émoi... Des chambellans, des majordomes, montent et descendent en courant les escaliers de marbre... Les galeries sont pleines de pages et de courtisans en habits de soie qui vont d'un groupe à l'autre quêter des nouvelles à voix basse... Sur les larges perrons, les dames d'honneur éplorées se font de grandes révérences en essuyant leurs yeux avec de jolis mouchoirs brodés.

Dans l'Orangerie, il y a nombreuse assemblée de médecins en robe. On les voit, à travers les vitres, agiter leurs longues manches noires et incliner doctoralement leurs perruques à marteaux... Le gouverneur et l'écuyer du petit Dauphin se promènent devant la porte, attendant les décisions de la Faculté. Des marmitons passent à côté d'eux sans les saluer. M. l'écuyer jure comme un païen, M. le gouverneur récite des vers d'Horace... Et pendant ce temps-là, là-bas, du côté des écuries, on entend un long hennissement plaintif. C'est l'alezan du petit Dauphin que les palefreniers oublient et qui appelle tristement devant sa mangeoire vide.

Et le roi ? Où est monseigneur le roi ?... Le roi s'est enfermé tout seul dans une chambre, au bout du château... Les Majestés n'aiment pas qu'on les voie pleurer !... Pour la reine, c'est autre chose... Assise au chevet du petit Dauphin, elle a son beau visage baigné de larmes, et sanglote bien haut devant tous, comme ferait une drapière.

Dans sa couchette de dentelles, le petit Dauphin, plus blanc que les coussins sur lesquels il est étendu, repose, les yeux fermés. On croit qu'il dort ; mais non ! Le petit Dauphin ne dort pas... Il se retourne vers sa mère, et, voyant qu'elle pleure, il lui dit :

— Madame la reine, pourquoi pleurez-vous ? Est-ce que vous croyez bonnement comme les autres que je m'en vas mourir !

La reine veut répondre. Les sanglots l'empêchent de parler.

— Ne pleurez donc pas, madame la reine ; vous oubliez que je suis le Dauphin, et que les Dauphins ne peuvent pas mourir ainsi...

La reine sanglote encore plus fort, et le petit Dauphin commence à s'effrayer.

— Holà ! dit-il, je ne veux pas que la mort vienne me prendre, et je saurai bien l'empêcher d'arriver jusqu'ici... Qu'on fasse venir sur l'heure quarante lansquenets très forts pour monter la garde autour de notre lit !... Que cent gros canons veillent nuit et jour, mèche allumée, sous nos fenêtres ! Et malheur à la mort, si elle ose s'approcher de nous !...

Pour complaire à l'enfant royal, la reine fait un signe. Sur l'heure, on entend les gros canons qui roulent dans la cour, et quarante grands lansquenets, la pertuisane au poing, viennent se ranger autour de la chambre. Ce sont de vieux soudards à moustaches grises. Le petit Dauphin bat des mains en les voyant. Il en reconnaît un et l'appelle :

— Lorrain ! Lorrain !

Le soudard fait un pas vers le lit.

— Je t'aime bien, mon vieux Lorrain... Fais voir un peu ton grand sabre... Si la mort veut me prendre, il faudra la tuer, n'est-ce pas ?

Lorrain répond :

— Oui, monseigneur...

Et il a deux grosses larmes qui coulent sur ses joues tannées.

A ce moment, l'aumônier s'approche du petit Dauphin et lui parle longtemps à voix basse en lui montrant un crucifix. Le petit Dauphin l'écoute d'un air fort étonné, puis tout à coup l'interrompant :

— Je comprends bien ce que vous me dites, monsieur l'abbé ; mais enfin est-ce que mon petit ami Beppo ne pourrait pas mourir à ma place, en lui donnant beaucoup d'argent ?...

L'aumônier continue à lui parler à voix basse, et le petit Dauphin a l'air de plus en plus étonné.

Quand l'aumônier a fini, le petit Dauphin reprend avec un gros soupir :

— Tout ce que vous me dites là est bien triste, monsieur l'abbé, mais une chose me console, c'est que là-haut, dans le paradis des étoiles, je vais être encore le Dauphin... Je sais que le bon Dieu est mon cousin et ne peut pas manquer de me traiter selon mon rang.

Puis il ajoute, en se tournant vers sa mère :

— Qu'on m'apporte mes plus beaux habits, mon pourpoint d'hermine blanche et mes escarpins de velours ; je veux me faire brave pour les anges et entrer au paradis en costume de Dauphin.

Une troisième fois, l'aumônier se penche vers le petit Dauphin et lui parle longuement à voix basse... Au milieu de son discours, l'enfant royal l'interrompt avec colère :

— Mais alors, crie-t-il, d'être Dauphin, ce n'est rien du tout !

Et, sans vouloir plus rien entendre, le petit Dauphin se tourne vers la muraille et il pleure amèrement.

II

LE SOUS-PRÉFET AUX CHAMPS

M. le sous-préfet est en tournée. Cocher devant, laquais derrière, la calèche de la sous-préfecture l'emporte majestueusement au concours régional de la Combe-aux-Fées. Pour cette journée mémorable, M. le sous préfet a mis son bel habit brodé, son petit claque, sa culotte collante à

bandes d'argent et son épée de gala à poignée de nacre...
Sur ses genoux repose une grande serviette en chagrin
gaufré qu'il regarde tristement.

M. le sous préfet regarde tristement sa serviette en chagrin gaufré ; il songe au fameux discours qu'il va falloir
prononcer tout à l'heure devant les habitants de la
Combe-aux-Fées...

— Messieurs et chers administrés...

Mais il a beau tortiller la soie blonde de ses favoris et
répéter vingt fois de suite : « Messieurs et chers administrés... », la suite du discours ne vient pas.

La suite du discours ne vient pas... Il fait si chaud dans
cette calèche !... A perte de vue, la route de la Combe-
aux-Fées poudroie sous le soleil du Midi... L'air est embrasé... et sur les ormeaux du bord du chemin, tout
couverts de poussière blanche, des milliers de cigales se
répondent d'un arbre à l'autre... Tout à coup, M. le sous-
préfet tressaille. Là-bas, au pied d'un coteau, il vient d'a-
percevoir un petit bois de chênes verts qui semble lui
faire signe.

Le petit bois de chênes verts semble lui faire signe :

— Venez donc par ici, monsieur le sous-préfet, pour
composer votre discours, vous serez bien mieux sous mes
arbres...

M. le sous-préfet est séduit ; il saute à bas de sa calèche
et dit à ses gens de l'attendre, qu'il va composer son discours dans le petit bois de chênes verts.

Dans le petit bois de chênes verts il y a des oiseaux, des
violettes, et des sources sous l'herbe fine... Quand ils ont
aperçu M. le sous-préfet avec sa belle culotte et sa serviette en chagrin gaufré, les oiseaux ont eu peur et se sont
arrêtés de chanter, les sources n'ont plus osé faire de
bruit, et les violettes se sont cachées dans le gazon... Tout
ce petit monde-là n'a jamais vu de sous-préfet, et se
demande à voix basse quel est ce beau seigneur qui se
promène en culotte d'argent.

A voix basse, sous la feuillée, on se demande quel est ce beau seigneur en culotte d'argent... Pendant ce temps-là, M. le sous-préfet, ravi du silence et de la fraîcheur du bois, relève les pans de son habit, pose son claque sur l'herbe et s'assied dans la mousse au pied d'un jeune chêne ; puis il ouvre sur ses genoux sa grande serviette en chagrin gaufré et en tire une large feuille de papier ministre.

— C'est un artiste ! dit la fauvette.

— Non, dit le bouvreuil, ce n'est pas un artiste, puisqu'il a une culotte en argent ; c'est plutôt un prince.

— C'est plutôt un prince, dit le bouvreuil.

— Ni un artiste, ni un prince..., interrompt un vieux rossignol qui a chanté toute une saison dans les jardins de la sous-préfecture. Je sais ce que c'est : c'est un sous-préfet !

Et tout le petit bois va chuchotant :

— C'est un sous-préfet ! c'est un sous-préfet !

— Comme il est chauve ! remarque une alouette à grande huppe.

Les violettes demandent :

— Est-ce que c'est méchant ?

— Est-ce que c'est méchant ? demandent les violettes.

Le vieux rossignol répond :

— Pas du tout !

Et sur cette assurance, les oiseaux se remettent à chanter, les sources à courir, les violettes à embaumer, comme si le monsieur n'était pas là... Impassible au milieu de tout ce joli tapage, M. le sous-préfet invoque dans son cœur la Muse des comices agricoles, et, le crayon levé, commence à déclamer de sa voix de cérémonie :

— Messieurs et chers administrés...

— Messieurs et chers administrés..., dit le sous-préfet de sa voix de cérémonie.

Un éclat de rire l'interrompt ; il se retourne et ne voit rien qu'un gros pivert qui le regarde en riant, perché sur son claque. Le sous-préfet hausse les épaules et veut continuer son discours ; mais le pivert l'interrompt encore et lui crie de loin :

— A quoi bon ?

— Comment ! à quoi bon ? dit le sous-préfet, qui devient tout rouge.

Et, chassant d'un geste cette bête effrontée, il reprend de plus belle :

— Messieurs et chers administrés...

— Messieurs et chers administrés..., a repris le sous-préfet de plus belle.

Mais alors, voilà les petites violettes qui se haussent vers lui sur le bout de leurs tiges et qui lui disent doucement :

— Monsieur le sous-préfet, sentez-vous comme nous sentons bon ?

Et les sources lui font sous la mousse une musique divine, et dans les branches, au-dessus de sa tête, des tas de fauvettes viennent lui chanter leurs plus jolis airs, et tout le petit bois conspire pour l'empêcher de composer son discours.

Tout le petit bois conspire pour l'empêcher de composer son discours... M. le sous-préfet, grisé de parfums, ivre de musique, essaye vainement de résister au charme nouveau qui l'envahit. Il s'accoude sur l'herbe, dégrafe son bel habit, balbutie encore deux ou trois fois :

— Messieurs et chers administrés... Messieurs et chers admi... Messieurs et chers...

Puis il envoie les administrés au diable, et la Muse des comices agricoles n'a plus qu'à se voiler la face.

Voile-toi la face, ô Muse des comices agricoles !... Lorsque, au bout d'une heure, les gens de la sous-préfecture, inquiets de leur maître, sont entrés dans le petit bois, ils ont vu un spectacle qui les a fait reculer d'horreur... M. le sous-préfet était couché sur le ventre, dans l'herbe, débraillé comme un bohème. Il avait mis son habit bas... et, tout en mâchonnant des violettes, M. le sous-préfet faisait des vers.

LE POÈTE MISTRAL

DIMANCHE dernier, en me levant, j'ai cru me réveiller rue du Faubourg-Montmartre. Il pleuvait, le ciel était gris, le moulin triste. J'ai eu peur de passer chez moi cette froide journée de pluie, et tout de suite l'envie m'est venue d'aller me réchauffer un brin auprès de Frédéric Mistral, ce grand poète qui vit à trois lieues de mes pins, dans son petit village de Maillane.

Sitôt pensé, sitôt parti : une trique en bois de myrte, mon Montaigne, une couverture, et en route !

Personne aux champs... Notre belle Provence catholique laisse la terre se reposer le dimanche... Les chiens seuls au logis, les fermes closes... De loin en loin, une charrette de roulier avec sa bâche ruisselante, une vieille encapuchonnée dans sa mante feuille morte, des mules en tenue de gala, housse de sparterie bleue et blanche, pompons rouges, grelots d'argent, — emportant au petit trot toute une carriole de gens de *mas* qui vont à la messe ; puis, là-bas, à travers la brume, une barque sur la *roubine* et un pêcheur debout qui lance son épervier...

Pas moyen de lire en route ce jour-là. La pluie tombait par torrents, et la tramontane vous la jetait à pleins seaux dans la figure... Je fis le chemin tout d'une haleine, et enfin, après trois heures de marche, j'aperçus devant moi les petits bois de cyprès au milieu desquels le pays de Maillane s'abrite de peur du vent.

Pas un chat dans les rues du village ; tout le monde
était à la grand'messe. Quand je passai devant l'église,
le serpent ronflait, et je vis les cierges reluire derrière les
vitres de couleur.

Le logis du poète est à l'extrémité du pays ; c'est la
dernière maison à main gauche, sur la route de Saint-
Remy, — une maisonnette à un étage avec un jardin devant... J'entre doucement... Personne ! La porte du salon
est fermée, mais j'entends derrière quelqu'un qui marche
et qui parle à haute voix... Ce pas et cette voix me sont
bien connus... Je m'arrête un moment dans le petit couloir peint à la chaux, la main sur le bouton de la porte,
très ému. Le cœur me bat. — Il est là. Il travaille...
Faut-il attendre que la strophe soit finie ?... Ma foi !
tant pis, entrons.

———————

Ah ! Parisiens, lorsque le poète de Maillane est venu
chez vous montrer Paris à sa Mireille, et que vous l'avez
vu dans vos salons, ce Chactas en habit de ville, avec un
col droit et un grand chapeau qui le gênait autant que sa
gloire, vous avez cru que c'était là Mistral... Non, ce
n'était pas lui. Il n'y a qu'un Mistral au monde, celui que
j'ai surpris dimanche dernier dans son village, le chaperon
de feutre sur l'oreille, sans gilet, en jaquette, sa rouge
taillole catalane autour des reins, l'œil allumé, le feu de
l'inspiration aux pommettes, superbe, avec un bon sourire, élégant comme un pâtre grec, et marchant à grands
pas, les mains dans ses poches, en faisant des vers...

— Comment ! c'est toi ? cria Mistral en me sautant au
cou ; la bonne idée que tu as eue de venir... Tout juste
aujourd'hui, c'est la fête de Maillane. Nous avons la musique d'Avignon, les taureaux, la procession, la farandole,
ce sera magnifique... La mère va rentrer de la messe ;
nous déjeunons, et puis, zou ! nous allons voir danser les
jolies filles...

Pendant qu'il me parlait, je regardais avec émotion ce petit salon à tapisserie claire, que je n'avais pas vu depuis si longtemps, et où j'ai passé déjà de si belles heures. Rien n'était changé. Toujours le canapé à carreaux jaunes, les deux fauteuils de paille, la Vénus sans bras et la Vénus d'Arles sur la cheminée, le portrait du poète par Hébert, sa photographie par Étienne Carjat, et, dans un coin, près de la fenêtre, le bureau, — un pauvre petit bureau de receveur d'enregistrement, — tout chargé de vieux bouquins et de dictionnaires. Au milieu de ce bureau, j'aperçus un gros cahier ouvert... C'était *Calendal*, le nouveau poème de Frédéric Mistral, qui doit paraître à la fin de cette année, le jour de Noël. Ce poème, Mistral y travaille depuis sept ans, et voilà près de six mois qu'il en a écrit le dernier vers ; pourtant, il n'ose s'en séparer encore. Vous comprenez, on a toujours une strophe à polir, une rime plus sonore à trouver... Mistral a beau écrire en provençal, il travaille ses vers comme si tout le monde devait les lire dans la langue et lui tenir compte de ses efforts de bon ouvrier... Oh ! le brave poète, et que c'est bien Mistral dont Montaigne aurait pu dire : *Souvienne-vous de celuy à qui, comme on demandoit à quoy faire il se peinoit si fort en un art qui ne pouvoit venir à la cognoissance de guère des gens, « J'en ay assez de peu, répondict-il. J'en ay assez d'un. J'en ay assez de pas un. »*

———

Je tenais le cahier de *Calendal* entre mes mains, et je le feuilletais, plein d'émotion... Tout à coup une musique de fifres et de tambourins éclate dans la rue, devant la fenêtre, et voilà mon Mistral qui court à l'armoire, en tire des verres, des bouteilles, traîne la table au milieu du salon, et ouvre la porte aux musiciens en me disant :

— Ne ris pas... Ils viennent me donner l'aubade... je suis conseiller municipal.

La petite pièce se remplit de monde. On pose les tambourins sur les chaises, la vieille bannière dans un coin, et le vin cuit circule. Puis, quand on a vidé quelques bouteilles à la santé de M. Frédéric, qu'on a causé gravement de la fête, si la farandole sera aussi belle que l'an dernier, si les taureaux se comporteront bien, les musiciens se retirent et vont donner l'aubade chez les autres conseillers. A ce moment, la mère de Mistral arrive.

En un tour de main la table est dressée : un beau linge blanc et deux couverts. Je connais les usages de la maison ; je sais que lorsque Mistral a du monde, sa mère ne se met pas à table... La pauvre vieille femme ne connaît que son provençal, et se sentirait mal à l'aise pour causer avec des Français... D'ailleurs, on a besoin d'elle à la cuisine.

Dieu ! le joli repas que j'ai fait ce matin-là : — un morceau de chevreau rôti, du fromage de montagne, de la confiture de moût, des figues, des raisins muscats. Le tout arrosé de ce bon châteauneuf-des-papes qui a une si belle couleur rose dans les verres...

Au dessert je vais chercher le cahier du poème, et je l'apporte sur la table, devant Mistral.

— Nous avions dit que nous sortirions, fait le poète en souriant.

— Non ! non !... *Calendal ! Calendal !*

Mistral se résigne, et de sa voix musicale et douce, en battant la mesure de ses vers avec la main, il entame le premier chant : — *D'une fille folle d'amour,* — *à présent que j'ai dit la triste aventure,* — *je chanterai, si Dieu veut, un enfant de Cassis,* — *un pauvre petit pêcheur d'anchois...*

Au dehors, les cloches sonnaient les vêpres ; les pétards éclataient sur la place ; les fifres passaient et repassaient dans les rues avec les tambourins. Les taureaux de Camargue, qu'on menait courir, mugissaient.

Moi, les coudes sur la nappe, des larmes dans les yeux, j'écoutais l'histoire du petit pêcheur provençal.

Calendal n'était qu'un pêcheur ; l'amour en fait un héros... Pour gagner le cœur de sa mie, — la belle Estérelle, — il entreprend des choses miraculeuses, et les douze travaux d'Hercule ne sont rien à côté des siens.

Une fois, s'étant mis en tête d'être riche, il a inventé de formidables engins de pêche et ramène au port tout le poisson de la mer. Une autre fois, c'est un terrible bandit des gorges d'Ollioules, le comte Sévéran, qu'il va relancer jusque dans son aire... Quel rude gars que ce petit Calendal ! Un jour, à la Sainte-Baume, il rencontre deux partis de compagnons venus là pour vider leur querelle à grands coups de compas sur la tombe de maître Jacques, un Provençal, qui a fait la charpente du temple de Salomon, s'il vous plaît. Calendal se jette au milieu de la tuerie, et apaise les compagnons en leur parlant...

Des entreprises surhumaines !... Il y avait là-haut, dans les rochers de Lure, une forêt de cèdres inaccessible, où jamais bûcheron n'osa monter. Calendal y va, lui. Il s'y installe tout seul pendant trente jours. Pendant trente jours, on entend le bruit de sa hache qui sonne en s'enfonçant dans les troncs. La forêt crie ; l'un après l'autre, les vieux arbres géants tombent et roulent au fond des abîmes ; et quand Calendal redescend, il ne reste plus un cèdre sur la montagne...

Enfin, en récompense de tant d'exploits, le pêcheur d'anchois obtient l'amour d'Estérelle et il est nommé consul par les habitants de Cassis. Voilà l'histoire de Calendal... Mais qu'importe Calendal ? Ce qu'il y a avant tout dans le poème, c'est la Provence, — la Provence de la mer, la Provence de la montagne, — avec son histoire, ses mœurs, ses légendes, ses paysages, tout un peuple naïf et libre qui a trouvé son grand poète avant de mourir... Et maintenant, tracez des chemins de fer, plantez des poteaux à télégraphes, chassez la langue provençale des écoles ! La Provence vivra éternellement dans *Mireille* et dans *Calendal*.

— Assez de poésie, dit Mistral en fermant son cahier. Il faut aller voir la fête.

Nous sortîmes ; tout le village était dans les rues ; un grand coup de bise avait balayé le ciel, et le soleil reluisait joyeusement sur les toits rouges mouillés de pluie. Nous arrivâmes à temps pour voir rentrer la procession. Ce fut pendant une heure un interminable défilé de pénitents en cagoule, pénitents blancs, pénitents bleus, pénitents gris, confréries de filles voilées, bannières roses à fleurs d'or, grands saints de bois dédorés portés à quatre épaules, saintes de faïence coloriées comme des idoles, avec de gros bouquets à la main ; chapes, ostensoirs, dais de velours vert, crucifix encadrés de soie blanche, tout cela ondulant au vent dans la lumière des cierges et du soleil, au milieu des psaumes, des litanies, et des cloches qui sonnaient à toute volée.

La procession finie, les saints remisés dans leurs chapelles, nous allâmes voir les taureaux, puis les jeux sur l'aire, les luttes d'hommes, les trois sauts, et tout le joli train des fêtes de Provence... La nuit tombait quand nous rentrâmes à Maillane. Sur la place, devant le petit café où Mistral va faire le soir sa partie avec son ami Zidore, on avait allumé un grand feu de joie... La farandole s'organisait. Des lanternes de papier découpé s'allumaient partout dans l'ombre ; la jeunesse prenait place, et bientôt, sur un appel des tambourins, commença autour de la flamme une ronde folle, bruyante, qui devait durer toute la nuit.

———

Après souper, trop las pour courir encore, nous montâmes dans la chambre de Mistral. C'est une modeste chambre de paysan, avec deux grands lits. Les murs n'ont pas de papier ; les solives du plafond se voient... Il y a quatre ans, lorsque l'Académie donna à l'auteur de

Mireille le prix de trois mille francs, Mme Mistral eut une idée.

— Si nous faisions tapisser et plafonner ta chambre? dit-elle à son fils.

— Non! non!... répondit Mistral. Ça, c'est de l'argent des poètes, on n'y touche pas.

Et la chambre est restée toute nue ; mais tant que l'argent des poètes a duré, ceux qui ont frappé chez Mistral ont toujours trouvé sa bourse ouverte...

J'avais emporté le cahier de *Calendal* dans la chambre, et je voulus m'en faire lire encore un passage avant de m'endormir. Mistral choisit l'épisode des faïences. Le voici en quelque mots :

C'est dans un grand repas, je ne sais où. On apporte sur la table un magnifique service en faïence de Moustiers. Au fond de chaque assiette, dessiné en bleu dans l'émail, il y a un sujet provençal ; toute l'histoire du pays tient là dedans. Aussi il faut voir avec quel amour sont décrites ces belles faïences ; une strophe pour chaque assiette, autant de petits poèmes d'un travail naïf et savant, achevés comme un tableautin de Théocrite.

Tandis que Mistral me disait ses vers dans cette belle langue provençale, plus qu'aux trois quarts latine, que les reines ont parlée autrefois et que maintenant nos pâtres seuls comprennent, j'admirais cet homme au dedans de moi, et, songeant à l'état de ruine où il a trouvé sa langue maternelle et ce qu'il en a fait, je me figurais un de ces vieux palais des princes des Baux comme on en voit dans les Alpilles : plus de toits, plus de balustres aux perrons, plus de vitraux aux fenêtres, le trèfle des ogives cassé, le blason des portes mangé de mousse, des poules picorant dans la cour d'honneur, des porcs vautrés sous les fines colonnettes des galeries, l'âne broutant dans la chapelle où l'herbe pousse, des pigeons venant boire aux grands bénitiers remplis d'eau de pluie, et enfin, parmi ces décombres, deux ou trois familles de pay-

LA VILLE DES BAUX

sans qui se sont bâti des huttes dans les flancs du vieux palais.

Puis, voilà qu'un beau jour le fils d'un de ces paysans s'éprend de ces grandes ruines et s'indigne de les voir ainsi profanées ; vite, vite, il chasse le bétail hors de la cour d'honneur, et, les fées lui venant en aide, à lui tout seul il reconstruit le grand escalier, remet des boiseries aux murs, des vitraux aux fenêtres, relève les tours, redore la salle du trône et met sur pied le vaste palais d'autre temps, où logèrent des papes et des impératrices.

Ce palais restauré, c'est la langue provençale.

Ce fils de paysan, c'est Mistral.

LES DEUX AUBERGES

C'ÉTAIT en revenant de Nîmes, une après-midi de juillet. Il faisait une chaleur accablante. A perte de vue, la route blanche, embrasée, poudroyait entre des jardins d'oliviers et de petits chênes, sous un grand soleil d'argent mat qui remplissait tout le ciel. Pas une tache d'ombre, pas un souffle de vent. Rien que la vibration de l'air chaud et le cri strident des cigales, musique folle, assourdissante, à temps pressés, qui semble la sonorité même de cette immense vibration lumineuse... Je marchais en plein désert depuis deux heures, quand tout à coup, devant moi, un groupe de maisons blanches se dégagea de la poussière de la route. C'était ce qu'on appelle le relais de Saint-Vincent : cinq ou six *mas*, de longues granges à toiture rouge, un abreuvoir sans eau dans un bouquet de figuiers maigres, et, tout au bout du pays, deux grandes auberges qui se regardent face à face de chaque côté du chemin.

Le voisinage de ces auberges avait quelque chose de saisissant. D'un côté, un grand bâtiment neuf, plein de vie, d'animation, toutes les portes ouvertes, la diligence arrêtée devant, les chevaux fumants qu'on dételait, les voyageurs descendus buvant à la hâte sur la route dans l'ombre courte des murs ; la cour encombrée de mulets, de charrettes ; des rouliers couchés sous les hangars en attendant *la fraîche*. A l'intérieur, des cris, des jurons, des

coups de poing sur les tables, le choc des verres, le fracas des billards, les bouchons de limonade qui sautaient,
et, dominant tout ce tumulte, une voix joyeuse, éclatante,
qui chantait à faire trembler les vitres :

> La belle Margoton
> Tant matin s'est levée,
> A pris son broc d'argent,
> A l'eau s'en est allée...

... L'auberge d'en face, au contraire, était silencieuse et
comme abandonnée. De l'herbe sous le portail, des volets
cassés, sur la porte un rameau de petit houx tout rouillé
qui pendait comme un vieux panache, les marches du
seuil calées avec des pierres de la route... Tout cela si
pauvre, si pitoyable, que c'était une charité vraiment de
s'arrêter là pour boire un coup.

———

En entrant, je trouvai une longue salle déserte et morne,
que le jour éblouissant de trois grandes fenêtres sans rideaux faisait plus morne et plus déserte encore. Quelques
tables boiteuses où traînaient des verres ternis par la
poussière, un billard crevé qui tendait ses quatre blouses
comme des sébiles, un divan jaune, un vieux comptoir,
dormaient là dans une chaleur malsaine et lourde. Et des
mouches ! des mouches ! jamais je n'en avais tant vu :
sur le plafond, collées aux vitres, dans les verres, par
grappes... Quand j'ouvris la porte, ce fut un bourdonnement, un frémissement d'ailes comme si j'entrais dans
une ruche.

Au fond de la salle, dans l'embrasure d'une croisée, il y
avait une femme, debout contre la vitre très occupée à
regarder dehors. Je l'appelai deux fois :

— Eh ! l'hôtesse !

Elle se retourna lentement, et me laissa voir une pauvre figure de paysanne, ridée, crevassée, couleur de terre, encadrée dans de longues barbes de dentelle rousse comme en portent les vieilles de chez nous. Pourtant ce n'était pas une vieille femme ; mais les larmes l'avaient toute fanée.

— Qu'est-ce que vous voulez ? me demanda-t-elle en essuyant ses yeux.

— M'asseoir un moment et boire quelque chose...

Elle me regarda très étonnée, sans bouger de sa place, comme si elle ne comprenait pas.

— Ce n'est donc pas une auberge ici ?

La femme soupira :

— Si... c'est une auberge, si vous voulez... Mais pourquoi n'allez-vous pas en face comme les autres ? c'est bien plus gai...

— C'est trop gai pour moi... J'aime mieux rester chez vous.

Et, sans attendre sa réponse, je m'installai devant une table.

Quand elle fut bien sûre que je parlais sérieusement, l'hôtesse se mit à aller et venir d'un air très affairé, ouvrant des tiroirs, remuant des bouteilles, essuyant les verres, dérangeant les mouches... On sentait que ce voyageur à servir était tout un événement. Par moments la malheureuse s'arrêtait et se prenait la tête, comme si elle désespérait d'en venir à bout.

Puis elle passait dans la pièce du fond ; je l'entendais remuer de grosses clefs, tourmenter des serrures, fouiller dans la huche au pain, souffler, épousseter, laver des assiettes. De temps en temps un gros soupir, un sanglot mal étouffé...

Après un quart d'heure de ce manège, j'eus devant moi une assiettée de *passerilles* (raisins secs), un vieux pain de Beaucaire aussi dur que du grès, et une bouteille de piquette.

— Vous êtes servi, dit l'étrange créature, et elle re tourna bien vite prendre sa place devant la fenêtre.

Tout en buvant, j'essayai de la faire causer :

— Il ne vous vient pas souvent du monde, n'est-ce pas, ma pauvre femme ?

— Oh ! non, monsieur, jamais personne... Quand nous étions seuls dans le pays, c'était différent, nous avions le relais, des repas de chasse pendant le temps des macreuses, des voituriers toute l'année... mais depuis que les voisins sont venus s'établir, nous avons tout perdu... Le monde aime mieux aller en face. Chez nous, on trouve que c'est trop triste... Le fait est que la maison n'est pas bien agréable. Je ne suis pas belle, j'ai les fièvres, mes deux petites sont mortes... Là-bas, au contraire, on rit tout le temps. C'est une Arlésienne qui tient l'auberge, une belle femme avec des dentelles et trois tours de chaîne d'or au cou. Le conducteur, qui est son ami, lui amène la diligence. Avec ça un tas d'enjôleuses pour chambrières... Aussi, il lui en vient de la pratique ! Elle a toute la jeunesse de Bezouces, de Redessan, de Jonquières. Les rouliers font un détour pour passer par chez elle... Moi, je reste ici tout le jour, sans personne, à me consumer.

Elle disait cela d'une voix distraite, indifférente, le front toujours appuyé contre la vitre. Il y avait évidemment dans l'auberge d'en face quelque chose qui la préoccupait...

Tout à coup, de l'autre côté de la route, il se fit un grand mouvement. La diligence s'ébranlait dans la poussière. On entendit des coups de fouet, les fanfares du postillon, les filles accourues sur la porte qui criaient :

— Adiousias !... adiousias !... et par là-dessus la formidable voix de tantôt reprenant de plus belle :

A pris son broc d'argent,
A l'eau s'en est allée ;
De là n'a vu venir
Trois chevaliers d'armée...

... A cette voix, l'hôtesse frissonna de tout son corps, et, se tournant vers moi :

— Entendez-vous ? me dit-elle tout bas ; c'est mon mari... N'est-ce pas qu'il chante bien ?

Je la regardai, stupéfait :

— Comment ? votre mari... Il va donc là-bas, lui aussi ?

Alors elle, d'un air navré, mais avec une grande douceur :

— Qu'est-ce que vous voulez, monsieur ? Les hommes sont comme ça, ils n'aiment pas voir pleurer ; et moi je pleure toujours depuis la mort des petites... Puis, c'est si triste cette grande baraque où il n'y a jamais personne... Alors, quand il s'ennuie trop, mon pauvre José va boire en face, et comme il a une belle voix, l'Arlésienne le fait chanter. Chut !... le voilà qui recommence.

Et, tremblante, les mains en avant, avec de grosses larmes qui la faisaient encore plus laide, elle était là comme en extase devant la fenêtre, à écouter son José chanter pour l'Arlésienne :

Le premier lui a dit :
« Bonjour, belle mignonne ! »

L'ÉLIXIR
DU RÉVÉREND PÈRE GAUCHER

— BUVEZ ceci, mon voisin ; vous m'en direz des nouvelles.

Et, goutte à goutte, avec le soin minutieux d'un lapidaire comptant des perles, le curé de Graveson me versa deux doigts d'une liqueur verte, dorée, chaude, étincelante, exquise... J'en eus l'estomac tout ensoleillé.

— C'est l'élixir du Père Gaucher, la joie et la santé de notre Provence, me fit le brave homme d'un air triomphant ; on le fabrique au couvent des Prémontrés, à deux lieues de votre moulin... N'est-ce pas que cela vaut bien toutes les chartreuses du monde ?... Et si vous saviez comme elle est amusante, l'histoire de cet élixir ! Écoutez plutôt...

Alors, tout naïvement, sans y entendre malice, dans cette salle à manger de presbytère, si candide et si calme avec son Chemin de la croix en petits tableaux et ses jolis rideaux clairs empesés comme des surplis, l'abbé me commença une historiette légèrement sceptique et irrévérencieuse, à la façon d'un conte d'Érasme ou de d'Assoucy.

———————

Il y a vingt ans, les Prémontrés, ou plutôt les Pères blancs, comme les appellent nos Provençaux, étaient tombés dans une grande misère. Si vous aviez vu leur maison de ce temps-là, elle vous aurait fait peine.

Le grand mur, la tour Pacôme s'en allaient en morceaux. Tout autour du cloître rempli d'herbes, les colonnettes se fendaient, les saints de pierre croulaient dans leurs niches. Pas un vitrail debout, pas une porte qui tînt. Dans les préaux, dans les chapelles, le vent du Rhône soufflait comme en Camargue, éteignant les cierges, cassant le plomb des vitrages, chassant l'eau des bénitiers. Mais le plus triste de tout, c'était le clocher du couvent, silencieux comme un pigeonnier vide ; et les Pères, faute d'argent pour s'acheter une cloche, obligés de sonner matines avec des cliquettes de bois d'amandier !...

Pauvres Pères blancs ! Je les vois encore, à la procession de la Fête-Dieu, défilant tristement dans leurs capes rapiécées, pâles, maigres, nourris de *citres* et de pastèques, et derrière eux monseigneur l'abbé, qui venait la tête basse, tout honteux de montrer au soleil sa crosse dédorée et sa mitre de laine blanche mangée des vers. Les dames de la confrérie en pleuraient de pitié dans les rangs, et les gros porte-bannières ricanaient entre eux tout bas en se montrant les pauvres moines :

— Les étourneaux vont maigres quand ils vont en troupe.

Le fait est que les infortunés Pères blancs en étaient arrivés eux-mêmes à se demander s'ils ne feraient pas mieux de prendre leur vol à travers le monde et de chercher pâture chacun de son côté.

Or, un jour que cette grave question se débattait dans le chapitre, on vint annoncer au prieur que le frère Gaucher demandait à être entendu au conseil... Vous saurez pour votre gouverne que ce frère Gaucher était le bouvier du couvent ; c'est-à-dire qu'il passait ses journées à rouler d'arcade en arcade dans le cloître, en poussant devant lui deux vaches étiques qui cherchaient l'herbe aux fentes des pavés. Nourri jusqu'à douze ans par une vieille folle du pays des Baux, qu'on appelait tante Bégon, recueilli depuis chez les moines, le malheureux bouvier n'avait jamais pu rien apprendre qu'à conduire ses bêtes et à réciter son *Pater noster ;* encore le disait-il en provençal, car il avait la cervelle dure et l'esprit fin comme une dague de plomb. Fervent chrétien, du reste, quoiqu'un peu visionnaire, à l'aise sous le cilice et se donnant la discipline avec une conviction robuste et des bras !...

Quand on le vit entrer dans la salle du chapitre, simple et balourd, saluant l'assemblée la jambe en arrière, prieur, chanoines, argentier, tout le monde se mit à rire. C'était toujours l'effet que produisait, quand elle arrivait quelque part, cette bonne face grisonnante avec sa barbe de chèvre et ses yeux un peu fous ; aussi le frère Gaucher ne s'émut pas :

— Mes révérends, fit-il d'un ton bonasse en tortillant son chapelet de noyaux d'olives, on a bien raison de dire que ce sont les tonneaux vides qui chantent le mieux. Figurez-vous qu'à force de creuser ma pauvre tête déjà si creuse, je crois que j'ai trouvé le moyen de nous tirer tous de peine. Voici comment. Vous savez bien tante Bégon, cette brave femme qui me gardait quand j'étais petit. (Dieu ait son âme, la vieille coquine ! Elle chantait de bien vilaines chansons après boire.) Je vous dirai donc, mes révérends Pères, que tante Bégon, de son vivant, se connaissait aux herbes de montagnes autant et mieux qu'un vieux merle de Corse. Voire, elle avait composé sur la fin de ses jours un élixir incomparable, en mélangeant cinq ou six espèces de simples que nous allions cueillir ensemble dans les Alpilles. Il y a belles années de cela ; mais je pense qu'avec l'aide de saint Augustin et la permission de notre Père abbé je pourrais — en cherchant bien — retrouver la composition de ce mystérieux élixir. Nous n'aurons plus alors qu'à le mettre en bouteilles et à le vendre un peu cher, ce qui permettrait à la communauté de s'enrichir doucettement, comme ont fait nos frères de la Trappe et de la Grande...

Il n'eut pas le temps de finir. Le prieur s'était levé pour

lui sauter au cou. Les chanoines lui prenaient les mains. L'argentier, encore plus ému que tous les autres, lui baisait avec respect le bord tout effrangé de sa cucule... Puis chacun revint à sa chaire pour délibérer, et, séance tenante, le chapitre décida qu'on confierait les vaches au frère Thrasybule, pour que le frère Gaucher pût se donner tout entier à la confection de son élixir.

───────

Comment le bon frère parvint-il à retrouver la recette de tante Bégon ? au prix de quels efforts ? au prix de quelles veilles ? L'histoire ne le dit pas. Seulement, ce qui est sûr, c'est qu'au bout de six mois l'élixir des Pères blancs était déjà très populaire. Dans tout le Comtat, dans tout le pays d'Arles, pas un *mas*, pas une grange qui n'eût au fond de sa *dépense*, entre les bouteilles de vin cuit et les jarres d'olives à la picholine, un petit flacon de terre brune cacheté aux armes de Provence, avec un moine en extase sur une étiquette d'argent. Grâce à la vogue de son élixir, la maison des Prémontrés s'enrichit très rapidement. On releva la tour Pacôme. Le prieur eut une mitre neuve, l'église de jolis vitraux ouvragés, et, dans la fine dentelle du clocher, toute une compagnie de cloches et de clochettes vint s'abattre un beau matin de Pâques, tintant et carillonnant à la grande volée.

Quant au frère Gaucher, ce pauvre frère lai dont les rusticités égayaient tant le chapitre, il n'en fut plus question dans le couvent. On ne connut plus désormais que le révérend père Gaucher, homme de tête et de grand savoir, qui vivait complètement isolé des occupations si menues et si multiples du cloître, et s'enfermait tout le jour dans sa distillerie, pendant que trente moines battaient la montagne pour lui chercher des herbes odorantes... Cette distillerie, où personne, pas même le prieur, n'avait le droit de pénétrer, était une ancienne

chapelle abandonnée, tout au bout du jardin des chanoines. La simplicité des bons Pères en avait fait quelque
chose de mystérieux et de formidable ; et si, par aventure,
un moinillon hardi et curieux, s'accrochant aux vignes
grimpantes, arrivait jusqu'à la rosace du portail, il en
dégringolait bien vite, effaré d'avoir vu le père Gaucher,
avec sa barbe de nécroman, penché sur ses fourneaux, le
pèse-liqueur à la main ; puis, tout autour, des cornues de
grès rose, des alambics gigantesques, des serpentins de
cristal, tout un encombrement bizarre qui flamboyait ensorcelé dans la lueur rouge des vitraux...

Au jour tombant, quand sonnait le dernier Angelus, la
porte de ce lieu de mystère s'ouvrait discrètement, et le
révérend se rendait à l'église pour l'office du soir. Il fallait
voir quel accueil quand il traversait le monastère ! Les
frères faisaient la haie sur son passage. On disait :

— Chut !... il a le secret !...

L'argentier le suivait et lui parlait la tête basse... Au
milieu de ces adulations, le Père s'en allait en s'épongeant
le front, son tricorne aux larges bords posé en arrière
comme une auréole, regardant autour de lui d'un air de
complaisance les grandes cours plantées d'orangers, les
toits bleus où tournaient des girouettes neuves, et, dans
le cloître éclatant de blancheur, — entre les colonnettes
élégantes et fleuries, — les chanoines habillés de frais qui
défilaient deux par deux avec des mines reposées.

— C'est à moi qu'ils doivent tout cela ! se disait le
révérend en lui-même, et chaque fois cette pensée lui
faisait monter des bouffées d'orgueil.

Le pauvre homme en fut bien puni. Vous allez voir...

———————

Figurez-vous qu'un soir, pendant l'office, il arriva à
l'église dans une agitation extraordinaire : rouge, essoufflé, le capuchon de travers, et si troublé qu'en prenant de

l'eau bénite il y trempa ses manches jusqu'au coude. On crut d'abord que c'était l'émotion d'arriver en retard ; mais quand on le vit faire de grandes révérences à l'orgue et aux tribunes au lieu de saluer le maître-autel, traverser l'église en coup de vent, errer dans le chœur pendant cinq minutes pour chercher sa stalle, puis, une fois assis, s'incliner de droite et de gauche en souriant d'un air béat, un murmure d'étonnement courut dans les trois nefs. On chuchotait de bréviaire à bréviaire :

— Qu'a donc notre père Gaucher ?... Qu'a donc notre père Gaucher ?

Par deux fois le prieur, impatienté, fit tomber sa crosse sur les dalles pour commander le silence... Là-bas, au fond du chœur, les psaumes allaient toujours ; mais les répons manquaient d'entrain...

Tout à coup, au beau milieu de l'*Ave verum*, voilà mon père Gaucher qui se renverse dans sa stalle et entonne d'une voix éclatante :

Dans Paris, il y a un Père blanc,
Patatin, patatan, tarabin, taraban...

Consternation générale. Tout le monde se lève. On crie :

— Emportez-le... il est possédé !

Les chanoines se signent. La crosse de monseigneur se démène... Mais le père Gaucher ne voit rien, n'écoute rien, et deux moines vigoureux sont obligés de l'entraîner par la petite porte du chœur, se débattant comme un exorcisé et continuant de plus belle ses *patatin* et ses *taraban*.

Le lendemain, au petit jour, le malheureux était à genoux dans l'oratoire du prieur, et faisait sa *coulpe* avec un ruisseau de larmes :

— C'est l'élixir, monseigneur, c'est l'élixir qui m'a surpris, disait-il en se frappant la poitrine.

Et de le voir si marri, si repentant, le bon prieur en était tout ému lui-même.

— Allons, allons, père Gaucher, calmez-vous, tout cela séchera comme la rosée au soleil... Après tout, le scandale n'a pas été aussi grand que vous pensez. Il y a bien eu la chanson qui était un peu... hum ! hum !... Enfin il faut espérer que les novices ne l'auront pas entendue... A présent, voyons, dites-moi bien comment la chose vous est arrivée... C'est en essayant l'élixir, n'est-ce pas ? Vous aurez eu la main trop lourde... Oui, oui, je comprends... C'est comme le frère Schwartz, l'inventeur de la poudre : vous avez été victime de votre invention... Et dites-moi, mon brave ami, est-il bien nécessaire que vous l'essayiez sur vous-même, ce terrible élixir ?

— Malheureusement, oui, monseigneur... L'éprouvette me donne bien la force et le degré de l'alcool, mais pour le fini, pour le velouté, je ne me fie guère qu'à ma langue...

— Ah ! très bien... Mais écoutez encore un peu que je vous dise... Quand vous goûtez ainsi l'élixir par nécessité, est-ce que cela vous semble bon ? Y prenez-vous du plaisir ?...

— Hélas ! oui, monseigneur..., fit le malheureux Père en devenant tout rouge. Voilà deux soirs que je lui trouve un bouquet, un arome !... C'est pour sûr le démon qui m'a joué ce vilain tour... Aussi je suis bien décidé désormais à ne plus me servir que de l'éprouvette. Tant pis si la liqueur n'est pas assez fine, si elle ne fait pas assez la perle...

— Gardez-vous-en bien, interrompit le prieur avec vivacité. Il ne faut pas s'exposer à mécontenter la clientèle... Tout ce que vous avez à faire maintenant que vous voilà prévenu, c'est de vous tenir sur vos gardes... Voyons, qu'est-ce qu'il vous faut pour vous rendre compte ?... Quinze ou vingt gouttes, n'est-ce pas ?... mettons vingt gouttes... Le diable sera bien fin s'il vous attrape avec vingt gouttes... D'ailleurs, pour prévenir tout accident, je vous dispense dorénavant de venir à l'église. Vous direz l'office du soir dans la distillerie... Et maintenant, allez en paix, mon révérend, et surtout... comptez bien vos gouttes.

Hélas ! le pauvre révérend eut beau compter ses gouttes... le démon le tenait, et ne le lâcha plus.

C'est la distillerie qui entendit de singuliers offices !

Le jour, encore, tout allait bien. Le Père était assez calme : il préparait ses réchauds, ses alambics, triait soigneusement ses herbes, toutes herbes de Provence, fines, grises, dentelées, brûlées de parfums et de soleil... Mais, le soir, quand les simples étaient infusés et que l'élixir tiédissait dans de grandes bassines de cuivre rouge, le martyre du pauvre homme commençait.

— ... Dix-sept... dix-huit... dix-neuf... vingt !...

Les gouttes tombaient du chalumeau dans le gobelet de vermeil. Ces vingt-là, le Père les avalait d'un trait, presque sans plaisir. Il n'y avait que la vingt et unième qui lui faisait envie. Oh ! cette vingt et unième goutte !... Alors, pour échapper à la tentation, il allait s'agenouiller tout au bout du laboratoire et s'abîmait dans ses patenôtres. Mais de la liqueur encore chaude il montait une petite fumée toute chargée d'aromates, qui venait rôder autour de lui et, bon gré mal gré, le ramenait vers les bassines... La liqueur était d'un beau vert doré... Penché dessus, les narines ouvertes, le Père la remuait tout doucement avec son chalumeau, et dans les petites paillettes étincelantes que roulait le flot d'émeraude, il lui semblait voir les yeux de malice de tante Bégon qui riaient et pétillaient en le regardant...

— Allons ! encore une goutte !

Et de goutte en goutte l'infortuné finissait par avoir son gobelet plein jusqu'au bord. Alors, à bout de force, il se laissait tomber dans un grand fauteuil, et, le corps abandonné, la paupière à demi close, il dégustait son péché par petits coups, en se disant tout bas avec un remords délicieux :

— Ah ! je me damne... je me damne...

Le plus terrible, c'est qu'au fond de cet élixir diabolique, il retrouvait, par je ne sais quel sortilège, toutes les vilaines chansons de tante Bégon : *Ce sont trois petites commères, qui parlent de faire un banquet...*, ou : *Bergerette de maître André s'en va-t-au bois seulette...*, et toujours la fameuse des Pères blancs : *Patatin, patatan.*

Pensez quelle confusion le lendemain, quand ses voisins de cellule lui faisaient d'un air malin :

— Hé ! hé ! père Gaucher, vous aviez des cigales en tête, hier soir en vous couchant.

Alors c'étaient des larmes, des désespoirs, et le jeûne, et le cilice, et la discipline. Mais rien ne pouvait contre le démon de l'élixir ; et tous les soirs, à la même heure, la possession recommençait.

───────

Pendant ce temps, les commandes pleuvaient à l'abbaye que c'était une bénédiction. Il en venait de Nîmes, d'Aix, d'Avignon, de Marseille... De jour en jour le couvent prenait un petit air de manufacture. Il y avait des frères emballeurs, des frères étiqueteurs, d'autres pour les écritures, d'autres pour le camionnage ; le service de Dieu y perdait bien par-ci par-là quelques coups de cloches ; mais les pauvres gens du pays n'y perdaient rien, je vous en réponds...

Et donc, un beau dimanche matin, pendant que l'argentier lisait en plein chapitre son inventaire de fin d'année et que les bons chanoines l'écoutaient les yeux brillants et le sourire aux lèvres, voilà le père Gaucher qui se précipite au milieu de la conférence en criant :

— C'est fini... Je n'en fais plus... Rendez-moi mes vaches.

— Qu'est-ce qu'il y a donc, père Gaucher ? demanda le prieur, qui se doutait bien un peu de ce qu'il y avait.

— Ce qu'il y a, monseigneur ?... Il y a que je suis en train de me préparer une belle éternité de flammes et de coups de fourche... Il y a que je bois, que je bois comme un misérable...

— Mais je vous avais dit de compter vos gouttes.

— Ah ! bien oui, compter mes gouttes ; c'est par gobelets qu'il faudrait compter maintenant... Oui, mes révérends, j'en suis là. Trois fioles par soirée... Vous comprenez bien que cela ne peut pas durer... Aussi faites faire l'élixir par qui vous voudrez... Que le feu de Dieu me brûle si je m'en mêle encore !

C'est le chapitre qui ne riait plus.

— Mais, malheureux, vous nous ruinez ! criait l'argentier en agitant son grand livre.

— Préférez-vous que je me damne ?...

Pour lors, le prieur se leva :

— Mes révérends, dit-il en étendant sa belle main blanche où luisait l'anneau pastoral, il y a moyen de tout arranger... C'est le soir, n'est-ce pas, mon cher fils, que le démon vous tente ?...

— Oui, monsieur le prieur, régulièrement tous les soirs... Aussi, maintenant, quand je vois arriver la nuit, j'en ai, sauf votre respect, les sueurs qui me prennent, comme l'âne de Capitou, quand il voyait venir le bât.

— Eh bien ! rassurez-vous... Dorénavant, tous les soirs, à l'office, nous réciterons à votre intention l'oraison de saint Augustin, à laquelle l'indulgence plénière est attachée... Avec cela, quoi qu'il arrive, vous êtes à couvert... C'est l'absolution pendant le péché.

— Oh bien ! alors, merci, monsieur le prieur !

Et, sans en demander davantage, le père Gaucher retourna à ses alambics, aussi léger qu'une alouette.

Effectivement, à partir de ce moment-là, tous les soirs, à la fin des complies, l'officiant ne manquait jamais de dire :

— Prions pour notre pauvre père Gaucher, qui sacrifie son âme aux intérêts de la communauté... *Oremus, Domine...*

Et pendant que sur toutes ces capuches blanches, prosternées dans l'ombre des nefs, l'oraison courait en frémissant comme une petite bise sur la neige, là-bas, tout au bout du couvent, derrière le vitrage enflammé de la distillerie, on entendait le père Gaucher qui chantait à tue-tête :

> Dans Paris il y a un Père blanc,
> Patatin, patatan, taraban, tarabin ;
> Dans Paris il y un Père blanc
> Qui fait danser des moinettes,
> Trin, trin, trin, dans un jardin ;
> Qui fait danser des...

... Ici le bon curé s'arrêta plein d'épouvante :

— Miséricorde ! si mes paroissiens m'entendaient !...

NOSTALGIES DE CASERNE

CE matin, aux premières clartés de l'aube, un formidable roulement de tambour me réveille en sursaut... Ran plan plan ! Ran plan plan !...

Un tambour dans mes pins à pareille heure !... Voilà
qui est singulier, par exemple !...

Vite, vite, je me jette à bas de mon lit et je cours ouvrir
la porte.

Personne... Le bruit s'est tu... Du milieu des lambrus-
ques mouillées, deux ou trois courlis s'envolent en secouant leurs ailes... Un peu de brise chante dans les arbres... Vers l'orient, sur la crête fine des Alpilles, s'en-
tasse une poussière d'or d'où le soleil sort lentement...
Un premier rayon frise déjà le toit du moulin. Au même
moment, le tambour, invisible, se met à battre aux
champs sous le couvert... Ran... plan... plan, plan, plan !

Le diable soit de la peau d'âne ! Je l'avais oubliée...
Mais enfin, quel est donc le sauvage qui vient saluer
l'aurore au fond des bois avec un tambour ?... J'ai beau
regarder, je ne vois rien... rien que les touffes de lavande,
et les pins qui dégringolent jusqu'en bas sur la route... Il
y a peut-être par là dans le fourré quelque lutin caché en
train de se moquer de moi... C'est Ariel, sans doute, ou
maître Puck. Le drôle se sera dit, en passant devant mon
moulin :

115

— Ce Parisien est trop tranquille là dedans, allons lui donner l'aubade !

Sur quoi, il aura pris un gros tambour, et... ran plan plan !... ran plan plan !... Te tairas-tu, gredin de Puck ? tu vas réveiller mes cigales.

Ce n'était pas Puck.

C'était Gouguet François, dit Pistolet, tambour au 31e de ligne, et pour le moment en congé de semestre. Pistolet s'ennuie au pays ; il a des nostalgies, ce tambour, et — quand on veut bien lui prêter l'instrument de la commune — il s'en va, mélancolique, battre la caisse dans les bois, en rêvant de la caserne du Prince-Eugène.

C'est sur ma petite colline verte qu'il est venu rêver aujourd'hui... Il est là, debout contre un pin, son tambour entre ses jambes et s'en donnant à cœur joie... Des vols de perdreaux effarouchés partent à ses pieds sans qu'il s'en aperçoive. La férigoule embaume autour de lui, il ne la sent pas.

Il ne voit pas non plus les fines toiles d'araignée qui tremblent au soleil entre les branches, ni les aiguilles de pin qui sautillent sur son tambour. Tout entier à son rêve et à sa musique, il regarde amoureusement voler ses baguettes, et sa grosse face niaise s'épanouit de plaisir à chaque roulement.

Ran plan plan ! Ran plan plan !...

« Qu'elle est belle, la grande caserne, avec sa cour aux larges dalles, ses rangées de fenêtres bien alignées, son peuple en bonnet de police et ses arcades basses pleines du bruit des gamelles !... »

Ran plan plan ! Ran plan plan !...

« Oh ! l'escalier sonore, les corridors peints à la chaux, la chambrée odorante, les ceinturons qu'on astique, la planche au pain, les pots de cirage, les couchettes de fer à couverture grise, les fusils qui reluisent au râtelier ! »

Ran plan plan ! Ran plan plan !...

« Oh ! les bonnes journées du corps de garde, les car-
tes qui poissent aux doigts, la dame de pique hideuse
avec des agréments à la plume, le vieux Pigault-Lebrun
dépareillé, qui traîne sur le lit de camp !... »

Ran plan plan !... Ran plan plan !

« Oh ! les longues nuits de faction à la porte des mi-
nistères, la vieille guérite où la pluie entre, les pieds qui
ont froid !... les voitures de gala, qui vous éclaboussent
en passant !... Oh ! la corvée supplémentaire, les jours de
bloc, l'oreiller de planche, la diane froide par les matins
pluvieux, la retraite dans les brouillards à l'heure où le
gaz s'allume, l'appel du soir où l'on arrive essoufflé ! »

Ran plan plan ! Ran plan plan !

Rêve, rêve, pauvre homme, ce n'est pas moi qui t'en
empêcherai... tape hardiment sur ta caisse, tape à tour
de bras. Je n'ai pas le droit de te trouver ridicule.

Si tu as la nostalgie de ta caserne, est-ce que, moi, je
n'ai pas la nostalgie de la mienne ?

Mon Paris me poursuit jusqu'ici comme le tien. Tu
joues du tambour sous les pins, toi ! Moi, j'y fais de la copie... Ah ! les bons Provençaux que nous faisons ! Là-bas,
dans les casernes de Paris, nous regrettions nos Alpilles
bleues et l'odeur sauvage des lavandes ; maintenant, ici,
en pleine Provence, la caserne nous manque, et tout ce
qui la rappelle nous est cher !...

Huit heures sonnent au village. Pistolet, sans lâcher
ses baguettes, s'est mis en route pour rentrer... On l'en-

tend descendre sous le bois, jouant toujours... Et moi, couché dans l'herbe, malade de nostalgie, je crois voir, au bruit du tambour qui s'éloigne, tout mon Paris défiler entre les pins...

Ah !... Paris !... Paris !... toujours Paris !

FIN

NOTES ON THE TEXT

THE FOREWORD

In this delightful parody of a legal deed of sale (see page ix) Daudet mingles with quaint effect the lawyer's old-fashioned jargon with references to pines and evergreen oaks, moss and rosemary—things dear to the poet.

page 17.

Mitifio, etc.   These names recur.   We find a **Mitifio** *gardien* (herd) in the *Arlésienne*, and a **Vivette** has an important part in the same play; while **Francet Mamaï** tells the story of *maître Cornille*.

maître.   The notary or lawyer is an important personage in a French village.   The peasants are by nature rather suspicious of one another, and have a distinct weakness for legal forms and documents.   The title **maître** is now restricted to lawyers; it was formerly used as a title of respect, given especially to elderly men of good standing.

Pampérigouste and **Les Cigalières** are imaginary names à ce présent=*ici présent*.

page 18.

pénitents blancs.   See page 136.

INSTALLATION

This passage gives a fanciful account of the poet's taking up house in the Mill. The lack of practical details is noteworthy. See page ix.

page 19.

Depuis si longtemps, etc. =" Ils voyaient depuis si longtemps la porte du moulin fermée que." Remember to employ the proper tense in English when translating the verb used after *depuis* here and a little farther on.

le moulin de Jemmapes. At Jemmapes (Belgium) the French defeated the Austrians in 1792 ; a mill was one of the strategic centres of the battle.

une vingtaine. In Provence *chasseurs* are so numerous that game is scarce ; a score of rabbits is a rare sight.

se chauffer les pattes. The picture of the rabbits sitting in a circle warming their paws at a moonbeam reminds us of the whimsical humour of *Alice in Wonderland*.

sinistre. The owl is usually regarded as a bird of ill omen. In the *Val d'Enfer*, some five miles away from the Mill, lives a *grand-duc*, an eagle-owl whose cry is as ghostly a sound as one could imagine.

page 21.

ces diables de penseurs, etc. =" these wretched philosophers, they never brush their coats."

voûtée. In Provence the lower rooms are often vaulted ; there are some fine vaulted kitchens in the old *mas* (farmhouses).

les Alpilles. See page xiii.

à mille lieues de =" a thousand miles from " ; familiar exaggeration.

que de jolies choses !="what a lot of pretty things !"

la rentrée des troupeaux. There is no farm between the Mill and the village. Perhaps Daudet means the Castelet (see page 38). The custom of sending sheep to the Alps in summer still continues. Two or three shepherds may be in charge of more than a thousand sheep, and they take ten or twelve days to reach the Alps of Dauphiné, towards Grenoble. The modern motorist is not fond of meeting such a flock, and a law provides that the sheep must keep to one side of the road ; but as an old shepherd, who for many years took his flock to the mountains, remarked, " You can't get the sheep to understand the law."

page 22.

bergerie. In Provence the sheep do not live in the fields as they do in England. The shepherd leads them out in the morning, watches them during the day, and brings them back to the fold in the evening. The difference is due to the fact that in France the fields are not enclosed.

bercent. A pretty word in the context : the baby lambs are rocked in the panniers as the mules step along.

rien de charmant="nothing could be so charming as."

LE SECRET DE MAÎTRE CORNILLE

In *Trente ans de Paris* Daudet relates how, with Mistral and some friends, he would go up to Les Baux (see page 143), and spend a night at the inn of *maître Cornille*. Here he transfers the name to the old miller.

page 24.

dix lieues : the more usual construction would be *de dix lieues*="from thirty miles round about."

tout autour du village is not quite accurate. The windmills stand on a low ridge behind the village, to the south. There are none on the other side, which is quite flat.

page 25.

la commune, etc. One is inclined to doubt this statement. The roofless mills that are still to be seen in this part of Provence are so solidly built that nobody takes the trouble to demolish them. Besides, these mills stand on the tops of bare hillocks not in the least suitable for either vineyards or olive trees.

enragé pour son état=" a fanatic for his profession."

page 27.

mettre le nez, etc. The proverbial expression, " *On y entre comme dans un moulin,*" shows that a mill was usually open to all.

page 29.

tout en larmes : *tout* is adverbial, as in *tout éplorés.*
sitôt dit, sitôt fait=" no sooner said than done."
pauvre de moi !=" woe's me ! "

page 30.

coche. Before the introduction of railways the passenger barge was the easiest way of travelling up and down the Rhone.

LA CHÈVRE DE M. SEGUIN

page 31.

Gringoire (1475–1538 ?) is the type of Bohemian poet ; he appears in Victor Hugo's *Notre-Dame de Paris,* and

is the hero of a charming little one-act play by Théodore
de Banville (*Gringoire*, 1866).

Apollo: in Greek mythology the god of poetry and
music.

écus à la rose. The *écu* (" crown ") was a coin of
very indefinite value ; there were many varieties—*e.g.
écus au soleil, à la croix*, etc., so named from the emblem
stamped on them. Before 1914 the *écu* was a silver
coin worth five francs (four shillings).

chez Brébant: a restaurant frequented by successful
journalists.

première (représentation): critics receive a ticket (*entrée*)
for the first night of a play.

page 32.

Esméralda: the beautiful gipsy girl who went through
a form of marriage with Gringoire to save him from
being hanged by the *truands* (beggars). She was regularly accompanied by a pretty and clever goat, Djali
(Hugo's *Notre-Dame.*)

Les chèvres, etc.=" As for goats, they need lots of
room."

page 33.

du coup: " with the shock, in surprise."

le loup. As in fairy tales, this is not *a* wolf but *the* wolf.

Le loup se moque bien, etc.=" Much the wolf cares
for your horns."

page 34.

La chèvre blanche, etc. Note the tenses of the
following passage ; in translating do not forget the
English form with " would."

page 35.

Pauvrette ! de se voir, etc.=" Poor little thing, to
see herself (seeing herself) perched so high up," etc.

de tout le jour="all day." Note this use of *de* with a negative. *Cp.* "Je n'ai pas fermé l'œil de la nuit"= "I haven't slept a wink all night."

page 36.

toutes droites="quite straight," "standing straight up."

Rule.—The adverb *tout* agrees in gender and number when it immediately precedes a feminine adjective beginning with a consonant.

amadou="tinder," either of the colour or because the wolf's jaws were parched with thirst.

L'ARLÉSIENNE

This pathetic little story was developed by the author into a three-act play which was first produced at the Vaudeville Theatre in 1872. Georges Bizet (1838–75), the celebrated composer, wrote for it beautiful incidental music, mainly founded on Provençal airs, the *Marche des Rois* furnishing the *motif* for two of the finest movements. Orchestral suites arranged from this music are almost as popular in English and Continental broadcasting programmes as selections from the same composer's *Carmen*. One of the artistic treats of Paris is a performance of *l'Arlésienne* at the Odéon, with Bizet's music rendered by the Orchestre Colonne or some similar combination of musicians.

page 38.

There is no *mas* between the Mill and Fontvieille, but about a mile away stands the old farm of Castelet. It is significant that Daudet lays the scene of his play in *la ferme de Castelet*, though he situates this farm in the Camargue. The illustration on page 39 shows this *mas*, which dates from the Middle Ages. It is more than probable that this is the farm Daudet has in his mind. The description of his walk and his ride on the hay-cart do not suit at all, unless one places the farm a mile or two from the Mill, and the Mill is only a few hundred yards from the village.

page 40.

une Arlésienne : the Arlesian women still wear their picturesque *coiffe* (head-dress) and costume. They have fine features, in which it is said the Greek type of beauty can be clearly traced. It must not be forgotten that Marseilles was originally a Greek colony.

la Lice : the promenade of Arles, crowded on market-days or on fine evenings.

page 41.

les clochers grêles. The epithet *grêles* is very unsuitable, as the towers of Arles, as seen from this road, are squat rather than slim. Daudet was very short-sighted —this may be his excuse here.

page 42.

ferrades : branding contests, in which two mounted *gardiens*, armed with *tridents*, round up the young steer, throw it and brand it, the prize going to the pair who gain the most points for dexterity and speed.

la vote. *Cp*. fête, page 135.

la magnanerie. Most of the farmers' wives breed silk-worms, and often the proceeds are their pin-money. *Cp*. poultry-keeping in this country.

saint Éloi is a very important saint in Provence ; he

is in reality the patron of all who use the hammer, but seems to be regarded as having a special interest in the Provençaux : fête day, 1st December.

LA MULE DU PAPE

The pretty little city of Avignon (pop. 45,000) has had a long and eventful history. Though it can boast of no great Roman monuments like those of Orange, Arles, or Nîmes, it was a colony of Roman veterans in the time of Augustus. But its main historical importance lies in the fact that from 1309 till 1377 it was the residence of the Popes, and its chief pride is the vast *Palais des Papes*. The town is surrounded by fine walls (see page 49) dating from the same period.

The old bridge of St. Bénézet is one of the best-known bridges in the world, thanks to the children's song, *Sur le pont d'Avignon*. It was built in the twelfth century, under the direction of a shepherd lad, Bénézet, who, so the legend goes, had been commanded by God to build a bridge across the Rhone at Avignon. His remains were laid in the little chapel of St. Nicholas, standing on the bridge itself (see Frontispiece). Now only four arches of the bridge remain, and some vandals are seriously proposing that these should be demolished to facilitate navigation.

page 45.

les soldats du Pape. In the Vatican the Pope still has his bodyguard of soldiers, dressed in a quaint uniform, somewhat like that of the beefeaters of the Tower of London.

le Comtat : a part of Provence long the property of the Popes, restored to France in 1792.

page 46.

Boniface. Of course no Pope of that name ruled in Avignon.

Yvetot. To understand the allusion one must read *le Roi d'Yvetot*, one of Béranger's most famous songs. Yvetot is in the north of France, near the English Channel, and once did have a king of its own.

Châteauneuf-des-Papes is a village on the Rhone, some eight miles north of Avignon. It has the ruins of a *donjon* (tower), and is famous for its red wine.

page 52.

Pampelune : there is a town of this name in Spain ; none in Provence. Another text has *Pampérigouste*.

Naples. Jeanne I. (1326–82), Queen of Naples, had a most adventurous life ; expelled from her kingdom in 1346, she came to Avignon ; she regained Naples in 1352.

page 55.

l'avocat du diable=" the devil's advocate," who tries to find reasons for opposing the canonization of any person proposed for that high honour.

Saint-Agrico. The church of Saint-Agrico dates from the fifteenth century.

Mont Ventoux : a bold mountain rising 6,000 feet from the plain of the Comtat. From it one has a magnificent view as far as the Mediterranean. On its summit stands an observatory. As its name suggests, it is particularly exposed to storm.

mais des blonds : the *mais* is intensive ; " a magnificent specimen of Provençal, and a fair-haired one at that."

page 56.

ibis : some rare birds haunt the marshes **of** the

Camargue, among them the pink flamingo and **the** Egyptian ibis.

LE PHARE DES SANGUINAIRES

The *Iles Sanguinaires* (see illustration, page 60) **are** a group of four rocky islands lying at the north of the entrance of the magnificent Bay of Ajaccio. The largest (*la grande Sanguinaire*), about a mile in length, rises in three points, on the nearest of which stands a lighthouse with a " group-flashing " light visible for forty miles out at sea. In the centre is a semaphore, and on the southern elevation an old Genoese tower, inhabited in Daudet's time by an eagle.

The illustration shows the islands as viewed from the *Punta de la Parata*, a rocky promontory about nine miles from Ajaccio.

It is very unlikely that the name of these islands has any connection with *sanguinaire*. Much more probably the modern form is a corruption of some old word. It is unnecessary to describe these islands further. Daudet gives all the essential details (see page 57).

page 57.

les pins, etc. There are no pines on the hill itself; the pine-wood is at its foot.

de petits chevaux corses. The Corsican horses are small but docile, sure-footed and hardy.

page 61.

la bouillabaisse, a fish-stew or thick soup, a speciality of the coast of Provence. It is composed of various species of rock-fish cooked in water or white wine, with onion, garlic, tomato, olive oil, etc.

aïoli. Here is an actual recipe for this delicacy as dictated by a Provençal chef: "Vous prenez de l'ail et vous le pilez. Puis vous mettez deux jaunes d'œuf. Puis vous incorporez peu à peu de l'huile, et vous tournez jusqu'à ce que ça monte. Comme légumes vous avez des pommes de terre, des carottes. Vous pouvez avoir des escargots, du poisson, tout ce que vous voudrez."

fonctionnaires. The Corsicans are fond of a job in which they can wear a uniform and avoid hard manual labour. The great ambition of many a Corsican youth is to become a *fonctionnaire*.

scopa: a local name for a card game; *scopa* is an Italian word = "broom." The Corsican patois is nearer to Italian than to French.

tabac. Tobacco is grown in Corsica.

page 63.

bandits corses: Corsica still has its brigands ("outlaws"), who live in the *maquis* rather than go to prison. For the *vendetta* see Mérimée's *Colomba* (Nelson).

Plutarque: a Greek historian (first century A.D.) who wrote a series of "Parallel Lives" of eminent Greeks and Romans. This work, as translated into French by Amyot (sixteenth century), has long been a standard French classic. Demetrius of Phalerum, a Greek statesman, ruled Athens from 317 to 307 B.C.

page 64.

lampe Carcel. The Carcel lamp, invented by G. Carcel in 1800, consists of a pump driving the oil through a tube to the burner, worked by clockwork.

L'AGONIE DE LA « SÉMILLANTE »

The construction of this story is particularly artistic. The introduction, the skipper's tale, the intervention of the shepherd, the reconstitution of the catastrophe, form a complete and impressive whole.

The **Sémillante,** a fine, well-found frigate, with a crew of four hundred and some three hundred and fifty soldiers bound for the Crimea, sailed from Toulon on the evening of February 14, 1855. Next day at noon, during a terrible storm, she struck on the Iles Lavezzi, and not a man of the seven hundred and seventy-three on board escaped.

The island on which the frigate was wrecked is one of a small group of islands in the Straits of Bonifacio. It is low-lying, but scattered over it are huge boulders of weather-worn rock. It is difficult of access, as the waters of the Straits are usually stormy and only a small boat can enter the sheltered creek close to the cemetery. The sole inhabitants are a shepherd with his family and a few lighthouse men. The former tends a flock of sheep and thirty cows ; the latter look after the coast lights, which are very important, as many ships pass through the Straits.

The illustration on page 68 shows a part of the cemetery, with the tomb of the captain of the *Sémillante*. The inscription on the stone is a letter from the captain's father, a pathetic but noble message of farewell to the son who lies on a lonely island, yet not alone, for beside him lie his whole ship's company. In another part of the cemetery is the tomb of the chaplain.

page 67.

Pauvres gens, etc.="Poor fellows ! they haven't

many visitors; the least we can do is to pay them a call since we are here."

Qu'il était triste! etc. On a bright summer afternoon the cemetery does not look particularly dreary, but on a wild March night its aspect must be very different.

page 69.

il n'y a pas de brume qui tienne = "in spite of the fog."

à la marine. The old town of Bonifacio is built on the cliffs; the houses down at the harbour are "la marine." In the illustration on page 72 we see the entrance to the land-locked harbour, and, in the centre, part of the fortifications of the upper town.

page 73.

des merles. The Corsican blackbird is considered a great delicacy, owing its special flavour to the berries of the maquis. *Cp.* page 106.

Et les tringlos de rire = "And the A.S.C. men (proceeded) to laugh."

LES VIEUX

This is certainly one of the most delightful of the *Lettres*, it shows so beautifully the gentle, kindly nature of the youthful Daudet, and his consideration for the garrulous weakness of age.

page 75.

rue Jean-Jacques (Rousseau). Site of the Paris G.P.O.; hence *cette Parisienne* = cette *lettre* venant de Paris.

Eyguières is a small market town about eighteen miles from the Mill. It has no orphanage, and the "oldest inhabitant," a genial old gentleman who has lived more than seventy years there, never heard of one. It seems possible that Daudet is really thinking of St. Remy which is much nearer and does have an orphanage. Probably he had some reason for disguising the real locality.

page 77.

Sedaine. A well-known French dramatist (1719–97) ; wrote comedies and the libretto of several operas.

St. Irenæus, Bishop of Lyons ; died *c.* 200.

lecture miraculeuse. There is perhaps a double meaning in the adjective ; the passage read treats of miracles, and its effect is miraculous in that it sends everybody and everything to sleep.

valse microscopique. The merry dance of the motes in the sunbeams.

page 80.

le temps de casser trois assiettes. Poor Mamette's china did not, let us hope, really suffer such damage.

échaudé. A kind of light cake cooked by dipping in boiling water.

page 82.

tabac d'Espagne : "snuff-colour" is perhaps sufficient.

BALLADES EN PROSE

La mort du Dauphin

page 83.

En ouvrant, etc. The construction of this sentence is not quite correct : we may say, " En ouvrant ma porte j'ai trouvé," etc., or, " Quand j'ai ouvert ma porte, il y avait," etc.

triangles de cigognes. Storks, like wild geese, fly in wedge-shaped formations.

Henri Heine. A German poet, 1797–1856 ; he lived in Paris for the last twenty-five years of his life.

le Dauphin : the title, corresponding to our "Prince of Wales," given to the eldest son of the French king.

page 84.

suisses. The French kings had Swiss guards ; the word *suisse* now means beadle.

Orangerie. A greenhouse for keeping orange trees in ; there is a famous *orangerie* at Versailles.

sans les saluer. Now that there is no hope for the Dauphin, his personal attendants are of little importance. Even his pony is neglected.

page 86.

en lui donnant=*si l'on lui donnait*. *Cp.* note to *en ouvrant*, page 132.

Le sous-préfet aux champs

page 86.

sous-préfet. Each department in France has a *préfet* who has an official residence (*une préfecture*) in the *chef-lieu.* In each arrondissement of the department, except that in which the *préfet* resides, there was stationed a *sous-préfet.* Their number was reduced in 1926.

la Combe-des-Fées : there is a little valley near Fontvieille which bears this name.

page 87.

administrés. The citizens of the arrondissement "administered" by the sous-préfet are his *administrés.* It is difficult to find an English equivalent. If he were a member of parliament, "constituents" would be the proper term, but he is appointed by the central government, not elected.

LE POÈTE MISTRAL

page 90.

le faubourg Montmartre. Montmartre is the Bohemian quarter of Paris, the home of its more eccentric artistic and literary life.

Frédéric Mistral (1830–1914) was born and lived all his life at Maillane, a small village between Fontvieille and Avignon. His famous poems *Mireille* (1859)— opera by Gounod (1864)—*Calendal* (1867), *le Poème du Rhône* (1897), etc., are the masterpieces of modern Provençal. In 1854 he formed the society known as the *Félibres*. In 1898 he founded the *Musée arlaten* at Arles, and spent on this museum of Provençal art the greater part of the prix Nobel for Literature awarded him in 1904. He compiled a dictionary of the Provençal tongue, called *le Trésor du Félibrige*.

mon Montaigne. Few books are better companions for a journey than the Essays of Montaigne (sixteenth century).

page 91.

le serpent. A wind instrument now little used : " A serpent was a good old note ; a deep, rich note was the serpent."—Thomas Hardy, *Under the Greenwood Tree.*

la dernière maison, etc. Mistral's house is a cottage hidden from the road by trees and shrubs. It is still (1926) inhabited by his widow, but by Mistral's will is left, after her death, to the nation.

Saint-Remy. A pretty little town noted for its flower-seeds.

montrer Paris à sa Mireille. On the occasion of the

first performance of *Mireille* at the Théâtre Lyrique, 1864. This opera is now on the répertoire of the Opéra-Comique.

Chactas: Choctaw (the Choctaws, a Red Indian tribe).

la fête de Maillane. Every Provençal village of any size has its *fête patronale*, usually lasting for two or three days, and celebrated by music, dancing, processions, bull-baiting, etc.

page 92.

la Vénus sans bras, etc. The Venus of Melos, now in the Louvre (Paris), one of the most admired statues in the world, and the Venus of Arles, discovered among the ruins of the ancient theatre of that town in 1651, and now likewise in the Louvre.

Souvienne-vous, etc. "Remember that man who, when asked why he took such pains in an art which could not come to the notice of many people, replied, 'Few are enough, one is enough, none is enough for me'" —*i.e.* the artist should work to satisfy himself, he himself should be his own severest critic.

conseiller municipal. Maillane is very proud of its *mairie* (town-house). On the wall is a list of members of the *conseil municipal* in office when it was opened, and the name at the foot of the list is that of Frédéric Mistral.

page 93.

de la confiture de moût. Some of these Provençal jams (preserves) are delicious. The old ladies of Provence are, with good reason, proud of their recipes, many of which are family secrets.

châteauneuf-des-papes. A generous red wine, grown at Châteauneuf, some miles above Avignon. It is the only wine of that part of France which has any real reputation.

Cassis. A small port not far from Marseilles.

page 94.

Camargue. See page xiii.

Ollioules, near Toulon ; famous for its gorges, which are more than two miles in length.

Sainte-Baume. A mountain beyond Marseilles.

Lure. The monts de Lure join the Ventoux (see page 127) to the Alps. They lie to the north-east of Avignon.

page 95.

pénitents. The *confréries* of *pénitents* undertake certain offices—*e.g.* to attend funerals, processions, etc. ; they wear long robes, masks, and cowls. There were black, blue, grey, and white *pénitents*.

grands saints de bois. On fête days the images of the saints are taken from their chapels and borne through the streets in solemn procession.

page 96.

Moustiers (Basses-Alpes), famous for the china made there in the seventeenth and eighteenth centuries.

Les Baux. A town built on a bold rock from which can be seen a great part of southern Provence, once an important city inhabited by princes and nobles, and famous for its *cours d'amour*, now a mass of ruins, and having seventy inhabitants. The illustration on page 97 shows the main street, with the ruins of the castle in the background. Daudet tells how, with Mistral and other friends, he used to visit Les Baux, spending the night at the inn of maître Cornille, and how they made the moon-lit ruins ring with their songs.

Mistral's tomb, in the cemetery of Maillane, is a reproduction of a small pavilion, called the *Pavillon de la Reine Jeanne*, which stands in the valley of Les Baux, close to the Val d'Enfer described in *Mireille*. The poet admired this building so much that he had his tomb built to resemble it.

LES DEUX AUBERGES

page 99.

de Nîmes. In 1866 Daudet spent some months in a house situated between Beaucaire and Nîmes.

page 100.

un rameau. In many parts of France it is still customary for an innkeeper to hang a fresh leafy bough over his inn door when he begins the new season's wine. This bough hangs there till it is replaced by a fresh one next season. A similar custom is referred to in the English proverb, " Good wine needs no bush."

page 102.

Bezouces, etc., are villages in the department of Gard, between the two towns mentioned above.

L'ÉLIXIR DU RÉVÉREND PÈRE GAUCHER

page 104.

Graveson. A village near Maillane.

Prémontrés. The Premonstratensians, a religious order founded in 1120. Their *maison mère* was in the department of Vaucluse (chef-lieu Avignon). This congregation is now dispersed, and the chief seat of the order is in Belgium.

Chemin de la croix. A series of fourteen pictures

depicting the Passion ; prayers are recited at each "station."

Érasme : Erasmus, a famous Dutch classical scholar (1465–1536).

d'Assoucy (1605–75).   A French burlesque poet.

irrévérencieuse.   Though the story is somewhat irreverent, it is told in such a way that it cannot give offence.

les Pères blancs.   The *Prémontrés* wore white robes and cowls ; in England they were called the " White Canons."

page 105.

Pacôme was an early Christian saint (fourth century).
Fête-Dieu.   The feast of Corpus Christi.
Les Baux.   See page 143.

page 106.

les Alpilles.   See page xiii.

saint Augustin.   The members of the order of the *Prémontrés* were " soumis à la règle de saint Augustin " —*i.e.* were disciples of his doctrines.

la Trappe.   Notre-Dame-de-la-Trappe, a mediæval Cistercian abbey formerly the headquarters of the Trappists, a flourishing religious order governed by very severe rules.   They were expelled from France in 1903.

la Grande Chartreuse.   This famous monastery, near Grenoble, manufactured the well-known liqueur, *chartreuse.*   The monks employed a large number of peasants in collecting simples on the surrounding mountains.   They made roads, erected and maintained churches, schools, and hospitals.   But in 1904 an unsympathetic government summoned them to leave their monastery, and they were expelled by soldiers.   They took refuge at Tarragona, in Spain, and there continued to manufacture their liqueur.   An interesting lawsuit between the Order and the French Government as to who had the right to make this liqueur was decided in favour of the monks by the English law courts.

page 107.

le Comtat. A papal domain near Avignon, restored to France in 1792.

Pâques. Easter is celebrated by much ringing of church bells.

page 108.

Angelus. The Angelus is rung thrice a day—in the morning about 6, at midday, and in the evening about 6. The strokes are usually 3–3–3–9–a peal of 20 to 30.

faisaient la haie="lined up in two rows " like a guard of honour.

page 109.

Ave verum: the first words of a Latin *motet* (mediæval anthem), *Ave verum corpus!*="Hail the real body," sung at the moment of the elevation of the host. Here the words indicate the most solemn part of the service.

exorcisé. One from whom an evil spirit has been driven, and who struggles as the spirit reluctantly leaves him.

coulpe. An old French word, Latin *culpa*, blame, fault ; *faire sa coulpe,* " to confess."

page 110.

Schwartz. A German monk of the fourteenth century who invented not gunpowder but the art of founding bronze cannon.

page 112.

Aix-en-Provence. A quiet old university city eighteen

miles north of Marseilles, the great French seaport and commercial centre.

se doutait bien un peu=" had a pretty good idea."

coup de fourche.   The simple-minded monk has a vivid picture of the tortures inflicted on lost souls.

page 113.

Oremus, Domine... =" Let us pray.   O Lord..."

NOSTALGIES DE CASERNE

In spite of his love for Provence, Daudet is beginning to weary for Paris.

page 115.

Ariel, the " ayrie spirit " of Shakespeare's *Tempest.*
Puck, the mischievous elf of *Midsummer Night's Dream.*

page 116.

la commune.   In a French village the *garde champêtre,* who acts as " town-crier," carries a drum, not a bell.

Prince Eugène.   A great French general, died 1736 ; the barracks are probably named after him rather than after another Prince Eugène, the stepson of Napoleon I.

Il ne voit pas, etc.   Notice the striking contrast between the beauty of the country—a beauty to which the drummer is blind—and the common, dirty barrack-room for which he is longing.

page 117.

Pigault-Lebrun (1753–1835).   A popular sensational novelist.

les bons Provençaux, etc., is, of course, ironical :
" A fine pair of Provençaux we are ! "

NOTES ON THE ILLUSTRATIONS

(*These drawings were made by E. E. Briscoe from original photographs by J. M. Moore.*)

Frontispiece. Le pont d'Avignon, or *pont Saint-Bénézet,* was built about the end of the twelfth century. This famous bridge consisted of twenty-two arches and was about a thousand yards long. Often partially destroyed by flood or by human agency, it was kept in repair until the middle of the seventeenth century, when it was finally left to its fate. In this illustration we see the Chapel of St. Nicholas which stands on the second pier. From the position of the door of the chapel (twelfth century) it is evident that at some later period the level of the bridge was considerably raised The four beautiful arches which still remain form a striking contrast with the great modern suspension bridge about half a mile farther down the Rhone.

Page 20. *Le moulin Alphonse-Daudet.* For some time it was uncertain which of the three or four windmills standing on the low ridge behind Fontvieille deserved this title. However, there seems now to be no doubt that it is the one shown here. The country house of Montauban lies among the pines, three or four hundred yards to the left. Some of the novelist's admirers inserted a commemorative tablet above the door, but this has been torn out and only the mark of it remains. The people of Tarascon never forgave Daudet for writing *Tartarin de Tarascon,* and the abstraction of the tablet may have been an act of revenge on the part of some indignant Tarasconnais. Even yet the name of Daudet is not popular in that neighbourhood.

Page 39. *Le Castelet*. Some of the *mas* (farm-houses) in this part of Provence are very old. Among the most interesting is this mediæval fortress-farm, *le Castelet*, about a mile from the Mill and clearly visible from it. Another old *mas* a few miles away was inhabited by one family for more than four hundred years. The Great War, which has changed so much in France, caused it to pass into other hands.

Page 47. *Avignon vu du pont Saint-Bénézet*. In the background we see two towers. That which is surmounted by a huge, inartistic, gilded figure of the Virgin is the *clocher* of *Notre-Dame-des-Doms*, a twelfth-century church. The other is one of the high square towers of the *Palais des Papes*. This palace, built in the fourteenth century, is a vast but rather uninteresting structure. It has a certain majesty but little beauty except when seen from a distance at sunset. Then, golden in the rays of the setting sun, it is like some fairy palace of the *Arabian Nights*.

Page 49. *Avignon : les remparts*. These magnificent walls, about four miles in circumference, were built in the fourteenth century to protect the city of the Popes from foreign invaders and from the floods of the Rhone. They are still in good preservation, although some of the most picturesque parts have been demolished for various reasons. On fine summer evenings the young men of the town engage in the favourite Provençal game of bowls in the shadow of these old ramparts.

Page 60. *Les îles Sanguinaires*. A walk of nine miles from Ajaccio along the northern side of the bay brings us to the Punta de la Parata, a rocky headland exposed to the full force of the waves. From this point we get a splendid view of the îles Sanguinaires, those rocky islands always fringed with white foam which Daudet describes in this " Letter." The lighthouse is a rather squat structure clearly seen on the nearest summit of the largest island of the group. The Genoese tower is situated on the point nearest the right-hand side where the island slopes down to the sea.

Page 68. *Le cimetière des îles Lavezzi*. When the weather is favourable—but even in summer this is not very often—the îles Lavezzi can be reached in an hour or two by boat from Bonifacio. Many ships besides the *Sémillante* have been lost on these rocks. In 1925, when this photograph was taken, the *épave* (wreck) of a large Greek steamer rose high on a neighbouring island, a visible warning to sailors. The fishermen tell how in 1893 a Corsican mail steamer, *l'Événement*, was wrecked almost at the same spot as the *Sémillante*, and how, during the Great War, a big French cruiser came to an untimely end in those waters.

In the little chapel, a small, plain whitewashed building, standing at one side of the cemetery, a mass is celebrated annually for the repose of the souls of the soldiers and sailors lost with the *Sémillante*. From the cemetery gate can be seen a small pyramid erected on the rock upon which the frigate was wrecked.

Page 72. *La Marine de Bonifacio*. The quaint old town of Bonifacio consists of two parts : the upper town, lying on the cliffs and strongly fortified by massive ramparts, and the lower town, the *marina* or port, situated on the harbour which is connected with the sea by a narrow *goulet* (neck or entrance). There are few more picturesque towns on the Mediterranean.

Page 97. *Les Baux*. Not many towns have so long and so romantic a history as this vast heap of ruins can boast. Celtic and Roman remains prove its antiquity, but the great castle, partly hewn out of the solid rock, partly built as the mediæval builders knew how to build, dates from the eighth or ninth century. From the twelfth till the sixteenth century the town played an important part in the history of Provence. Most of the houses still standing belong to the period of the Renaissance. But in 1631 the fortress was taken and dismantled by the troops of Louis XIV., and the *camp de Richelieu* is still pointed out as the spot from which the cannon of the besiegers directed their fire on the town. The *cour d'amour* of Les Baux was famous in the Middle Ages.   Thither troubadours flocked from all parts of Provence to display their skill in music and song and to prove their wit in solving the questions proposed by the royal or noble dame who presided over the " court." It is somewhat strange that the poet Daudet speaks so little of these romantic ruins which are only five or six miles from the Mill, but this short page proves that he was not ignorant of their story

VOCABULARY

à, *prep.*, **to**, **at**, **in**; (*sign of dative*) to, from.

abandon. *n. m.*, abandonment, desertion, loneliness.

abandonner, *v. tr.*, to abandon, desert.

abattre, *v. tr.*, to fell, demolish; — du travail, to put through work; **s'**—, to alight.

abbaye, *n. f.*, abbey.

abbé, *n. m.*, priest, abbot, reverend.

abeille, *n. f.*, bee.

abime, *n. m.*, abyss, gulf.

abimer, *v. tr.*, to spoil; **s'**—, to be *or* get spoilt; to lose oneself, sink.

abord, *n. m.*, approach; **d'**—, at first.

aborder, *v. tr.*, to approach, address.

aboyer, *v. intr.*, to bark.

abreuvoir, *n. m.*, drinking-pond *or* trough.

abri, *n. m.*, shelter.

abriter, *v. tr.*, to shelter.

absence, *n. f.*, absence.

absinthe, *n. f.*, absinthe, wormwood.

absolument, *adv.*, absolutely.

absolution, *n. f.*, absolution, pardon.

accablant, *adj.*, oppressive, overwhelming.

accablement, *n. m.*, prostration, languor.

accouder; **s'**—, to lean on one's elbows.

accoutir, *v. intr.*, to run up.

accrocher, *v. tr.*, to fasten, hang up; accroché à, clinging to.

accroupi, *p. p.* of *s'accroupir*, squatting.

accueil, *n. m.*, welcome, reception.

accueillir, *v. tr.*, to welcome.

acharner; **s'**— après quelqu'un, to pursue relentlessly, dog one's steps.

acheter, *v. tr.*, to buy.

achever, *v. tr.*, to finish; **s'**—, **to** finish, come to an end.

activer, *v. tr.*, to stir up.

activité, *n. f.*, activity.

adage, *n. m.*, proverb, adage.

adieu, *n. m.*, farewell, good-bye.

adiousias (*Provençal*), adieu, au revoir.

administré, *n. m.*, a person under one's administration, citizen of the department.

admirable, *adj.*, fine, admirable.

admirablement, *adv.*, admirably, wonderfully.

admirer, *v. tr.*, to admire.

adulation, *n. f.*, mark of flattery.

affaire, *n. f.*, business, matter; à leur —, in their element; de l'—, as a result.

affairé, *adj.*, busy, occupied.

affecter, *v. tr.*, to affect, pretend.

affreusement, *adv.*, fearfully, frightfully.

âge, *n. m.*, age.

agenouillé, *p. p.* of *s'agenouiller*, kneeling, on one's knees.

agenouiller; **s'**—, to kneel.

agir, *v. intr.*, to act; il s'agit de, it is a question of, it concerns; de quoi s'agit-il? what is it all about? what is the matter?

agitation, *n. f.*, agitation, excitement.
agiter, *v. tr.*, to agitate, wave; s'—, to toss, sway.
agneau, *n. m.*, lamb.
agnelet, *n. m.*, lambkin.
agonie, *n. f.*, death-struggle.
agonisant, *adj.*, dying.
agréable, *adj.*, pleasant, agreeable.
agrément, *n. m.*, ornament, trimming.
agrès, *n. m. pl.*, rigging, tackle.
aide, *n. f.*, aid, help.
aide-meunier, *n. m.*, miller's boy.
aider, *v. tr.*, to aid, help.
aigle, *n. m.*, eagle.
aiguille, *n. f.*, needle.
aiguiser. *v. tr.*, to sharpen.
aile, *n. f.*, wing; sail (of windmill).
aille, *pres. subj.* of *aller.*
ailleurs, *adv.*, elsewhere; d'— besides.
aimable, *adj.*, kindly, lovable.
aimer, *v. tr.*, to love, like.
aîné, *adj.*, elder, eldest.
ainsi, *adv.*, thus, so.
aïoli, a Provençal dish of garlic and mayonnaise.
air, *n. m.*, air, appearance; grand —, open air; avoir l'—, to seem, appear.
aire, *n. f.*, threshing-floor; eyry.
aise, *n. f.*, ease; à l'—, comfortable, happy; mal à l'—, ill at ease.
ajouter, *v. tr.*, to aid, assist.
ajuster, *v. tr.*, to tune, fit.
alambic, *n. m.*, still.
alarme, *n. f.*, alarm.
alcool, *n. m.*, alcohol.
alerte, *adj.*, brisk, lively.
alezan, *adj. & n. m.*, chestnut (horse).
aligné, *adj.*, in line.
aller, *v. intr.*, to go, be going to; s'en —, to go away; y —, to set to work, go at it; aller bien, to keep well.
allonger, *v. tr.*, to lengthen, let out; s' —, to stretch oneself out.
allumer, *v. tr.*, to light; s' —, to light up; allumé, lighted up, alight.
allure, *n. f.*, bearing, gait; ways.
alors, *adv.*, then.

alouette, *n. f.*, lark.
alourdi, *p. p. & adj.*, made heavy.
amadou, *n. m.*, tinder.
amandier, *n. m.*, almond-tree.
amarre, *n. f.*, mooring-rope, cable.
amarrer, *v. tr.*, to moor, make fast.
amble, *n. m.*, amble.
âme, *n. f.*, soul, heart; — qui vive, a living soul.
amener, *v. tr.*, to bring, lead to.
amèrement, *adv.*, bitterly.
ameuter, *v. tr.*, to stir up, excite.
ami, *n. m.*, friend; mon —, my dear.
amical, *adj.*, friendly.
amie *n. f.*, friend, sweetheart.
amitié, *n. f.*, friendship.
amour, *n. m.*, love.
amoureusement, *adv.*, lovingly.
amoureux, -euse, *adj.*, in love; un —, *n. m.*, a sweetheart.
amusant, *adj.*, amusing.
amuser, *v. tr.*, to amuse, interest.
an, *n. m.*, year.
anchois, *n. m.*, anchovy.
ancien, *adj.*, ancient, old, former.
âne, *n. m.*, ass, donkey.
ange, *n. m.*, angel.
animal, *n. m.*, animal.
animation, *n. f.*, animation, life.
anneau, *n. m.*, ring.
année, *n. f.*, year.
annoncer, *v. tr.*, to announce.
anxieux, *adj.*, anxious.
apaiser, *v. tr.*, to appease, calm.
apercevoir, *v. tr.*, to perceive, see (with eyes); s'—, to perceive, notice (with mind).
aplatir, *v. tr.*, to flatten out; s'—, to be dashed to pieces.
aplomb, *n. m.*, coolness, cheek.
apparaître, *v. intr.*, to appear.
apparition, *n. f.*, apparition, sudden appearance.
appel, *n. m.*, call, summons, roll-call.
appeler, *v. tr. & intr.*, to call; s'—, to be called.
appert, *3rd sing. pres. indic.* of *apparoir ;* comme il—, as it appeareth, is apparent (*legal*).
apporter, *v. tr.*, to bring.

apprendre, *v. tr.*, to learn, teach; inform, tell.

apprenti, *n. m.*, apprentice.

approcher, *v. tr.*, to bring near; **s'—**, to draw near, approach.

appuyer, *v. tr.*, to lean.

après, *prep.*, after.

après-midi, *n. m. & f.*, afternoon.

araignée, *n. f.*, spider.

arbre, *n. m.*, tree; **— de couche**, driving-shaft.

arcade, *n. f.*, arcade, arch.

archivieux, *adj.*, very, very old.

argent, *n. m.*, silver, money.

argentier, *n. m.*, treasurer.

armes, *n. f.*, arms, armorial bearings.

armoire, *n. f.*, cupboard, wardrobe.

aromate, *n. m.*, spice, pleasant odour.

arome, *n. m.*, aroma.

arracher, *v. tr.*, to pluck, pull out.

arranger, *v. tr.*, to arrange, settle.

arrêter, *v. tr. & intr.*, to stop; **s'—**, to stop, halt.

arrière, *n. m.*, back, stern; **en —**, behind.

arrière-pensée, *n. f.*, a thought at the back of one's mind.

arrivage, *n. m.*, arrival (of a boat).

arrivée, *n. f.*, arrival.

arriver, *v. intr.*, to arrive, happen; **en — à**, to end by, come to the point of.

arroser, *v. tr.*, to bedew, water, soak; wash down.

artiste, *n. m. & f.*, artiste, artist.

aspect, *n. m.*, appearance, look.

assemblée, *n. f.*, assembly.

asseoir; **s'—**, to sit down; *3rd sing. pres. ind.*, s'assied; *pres. p.*, s'asseyant; *p. p.*, assis.

assez, *adv.*, enough; pretty, fairly.

assiette, *n. f.*, plate.

assiettée, *n. f.*, plateful.

assis, *p. p. of s'asseoir*, seated, sitting.

assister, *v. intr.*, to be present at, witness.

assoupissement, *n. m.*, drowsiness.

assourdissant, *adj.*, deafening.

assurance, *n. f.*, assurance.

assurer, *v. tr.*, to assure, fix, fasten.

astiquer, *v. tr.*, to polish, rub up.

astre, *n. m.*, star.

atroce, *adj.*, atrocious.

attablé, *p. p.*, seated at table.

attacher, *v. tr.*, to attach, fasten.

attarder; **s'—**, to linger.

atteindre, *v. tr.*, to reach, attain.

atteint, *p. p. of atteindre*, afflicted.

attendre, *v. tr.*, to wait, wait for; **— que** with *subj.*, to wait till.

attendrir, *v. tr.*, to soften; **s'—**, to be softened, affected.

attendrissant, *adj.*, affecting.

attention, *n. f.*, attention; look out !

attirer, *v. tr.*, to attract.

attraper, *v. tr.*, to catch; **attrape!** take that !

aubade, *n. f.*, morning song; cp *sérénade*, evening song.

aube, *n. f.*, alb, surplice.

aube, *n. f.*, dawn.

aubépine, *n. f.*, hawthorn.

auberge, *n. f.*, inn.

au dehors, *adv.*, outside.

au-dessous, *adv.*, below; **— de**, *prep.*, below.

au-dessus, *adv.*, above; **— de**, *prep.*, above.

aujourd'hui, *adv.*, to-day.

aumônier, *n. m.*, chaplain.

auprès de, *prep.*, near, beside.

auréole, *n. f.*, halo.

aurore, *n. f.*, dawn.

aussi, *adv.*, also, too, so; **— que**, as... as.

aussitôt, *adv.*, at once; **— que**, *conj.*, as soon as.

autant, *adv.*, as much, so much.

auteur, *n. m.*, author.

automne, *n. m.*, autumn.

autour (*adv.*), **— de** (*prep.*), round, around.

autre, *adj.*, other, another; **— chose**, anything *or* something else; **nous autres**, *we* (*emphatic*).

autrefois, *adv.*, formerly, once; **d'—**, of former times.

autrement, *adv.*, otherwise, differently, far better.

avaler, *v. tr.*, to swallow, gulp down.

avance, *n. f.*; **par —,** beforehand, in anticipation.

avancer, *v. tr. & intr.,* to advance, put forward, assert; **s'—,** to advance.

avant, *prep. & adv.,* before; **en —,** forward, foremost; lowered (of horns).

avant, *n. m.,* prow (of ship).

avant que, *conj.,* before.

avarice, *n. f.,* greed, miserliness.

avarie, *n. f.,* damage (*esp.* used of a ship).

avec, *conj.,* with, along with.

avenant, *adj.,* approachable.

aventure, *n. f.,* adventure; **par —,** peradventure, by chance.

averse, *n. f.,* downpour, heavy shower.

aveuglette, à l'—, blindly.

aviser, *v. tr.,* to warn; **s'— de,** to take it into one's head to.

avocat, *n. m.,* advocate.

avoine, *n. f.,* oats.

avoir, *v. tr.,* to have; **qu'a-t-il?** what is the matter with him?

avouer, *v. tr.,* to confess.

babines, *n. f. pl.,* chops, jaws (*e.g.* of wolf).

bâche, *n. f.,* awning, tilt, cloth cover.

baguette, *n. f.,* wand, drumstick.

baigner, *v. tr.,* to bathe.

bail, *n. m.,* lease.

baile (*local*), *n. m.,* farm bailiff.

bailli, *n. m.,* bailiff.

bain, *n. m.,* bath; **un— à la glace,** an iced bath.

baiser, *v. tr.,* to kiss.

baisser, *v. tr.,* to lower, bend, bow; **se —,** to bend, incline, go down.

bal, *n. m.,* ball, dance.

balancer, *v. tr.,* to swing.

balayer, *v. tr.,* to sweep, clear.

balbutier, *v. tr.,* to stammer.

balcon, *n. m.,* balcony.

balourd, *adj.,* heavy, stupid.

balustre, *n. m.,* baluster, railing.

banc, *n. m.,* bench; **— d'œuvre,** churchwardens' pew.

bande, *n. f.,* band, stripe.

bandit, *n. m.,* brigand, outlaw.

bannière, *n. f.,* banner.

banquet, *n. m.,* banquet.

baptême, *n. m.,* baptism.

baraque, *n. f.,* booth, shanty; **cette grande —,** this big, wretched place.

barbe, *n. f.,* beard, frill; **à la — de,** in the very face of.

barbiche, *n. f.,* tufted beard, goatee.

barbu, *adj.,* bearded.

barque, *n. f.,* fishing-boat, barque.

barquette, *n. f.,* a kind of cake.

barre, *n. f.,* bar.

barrette, *n. f.,* flat cap.

bas, basse, *adj. & adv.,* low; **en bas,** down below; **là-bas,** yonder, over there; **du bas,** downstairs; **à bas,** down; **tout bas,** in a whisper; **à voix basse,** in a low voice; **mettre bas,** to take off and lay down; **la tête basse,** with hanging head.

basse-cour, *n. f.,* poultry-yard.

bassine, *n. f.,* (copper) preserving-pan.

bateau, *n. m.,* boat.

bât, *n. m.,* pack-saddle.

bâtiment, *n. m.,* building.

bâtir, *v. tr.,* to build.

bâton, *n. m.,* stick, staff.

battant, *pres. p.* of *battre,* beating, banging (of door).

battant, *n. m.,* leaf (of a double door).

battement, *n. m.,* beating, bang.

battre, *v. tr. & intr.,* to beat; **se —,** to fight; **— des mains,** to clap the hands.

béat, *adj.,* blissful.

beau, bel, belle, *adj.,* beautiful, handsome, fine; **un beau jour,** one fine day; **avoir beau faire quelque chose,** to do something in vain; **de plus belle,** louder, harder than ever; **belles années,** long years.

beaucoup, *adv.,* much, many.

bedaine, *n. f.,* stomach, paunch.

bégayer, *v. tr.,* to stammer.

béguin, *n. m.,* cap (worn by nuns and young children).

bêler, *v. intr.,* to bleat.

bélier, *n. m.,* ram.

bénédiction, *n. f.,* benediction, blessing ; **que c'était une —**, in an amazing, miraculous fashion.

séni, bénite, *adj.*, holy.

bénitier, *n. m.*, holy-water font.

berceau, *n. m.*, cradle.

bercer, *v. tr.*, to rock, cradle.

bergamote, *n. f.*, bergamot, a variety of lime (*tree*).

berger, *n. m.*, shepherd.

bergerette, *n. f.*, shepherd-girl.

bergerie, *n. f.*, sheep-fold, sheep-cote.

besicles, *n. f. pl.*, spectacles.

besoin, *n. m.*, need ; **avoir — de**, to need, require.

bétail, *n. m.*, cattle.

bête, *n. f.*, beast (sheep, cattle).

bibliothécaire, *n. m.*, librarian.

bibliothèque, *n. f.*, library.

bien, *adv.*, well, very, quite, exactly, indeed ; **être—**, to be comfortable *or* happy ; **— des efforts**, many efforts.

bientôt, *adv.*, soon.

bijou, *n. m.*, jewel.

billard, *n. m.*, billiard-table, billiards.

bique, *n. f.*, she-goat, nanny-goat.

bise, *n. f.*, N.E. wind ; **un coup de —**, a blast from the North.

bivac, bivouac, *n. m.*, camp, encampment.

bizarre, *adj.*, strange, odd.

blaguer, *v. tr. & intr.*, to jest, chaff.

blanc, blanche, *adj.*, white, white-haired.

blancheur, *n. f.*, whiteness.

blanchir, *v. tr.*, to whiten ; **— à la chaux**, to whitewash.

blason, *n. m.*, coat-of-arms, armorial bearings.

blé, *n. m.*, wheat, grain.

bleu, *adj.*, blue.

bleuâtre, *adj.*, bluish, blue.

bloc, *n. m.*, block ; **en —**, in one lot ; (*soldier's slang*) quod, lock-up.

blond, *adj.*, fair (-haired).

blondin, *n. m.*, fair-haired person, dandy.

bloquer, *v. tr.*, to block, block up.

blotti, *p. p. of se blottir,* snuggling.

blouse, *n. f.*, smock ; (of billiard-table) pocket.

bocal, *n. m.*, glass-jar.

bœuf, *n. m.*, ox.

bohème, *n. m.*, Bohemian.

bohémien, *n. m.*, gipsy, tramp.

boire, *v. tr.*, to drink, drink in ; **— un coup**, to take a drink.

bois, *n. m.*, wood.

boisé, *adj.*, wooded.

boiserie, *n. f.*, woodwork, wainscoting.

boiteux, *adj.*, lame, limping.

bol, *n. m.*, bowl.

bombé, *adj.*, convex, bulging.

bon, *adj.*, good, kind ; **c'est — pour**, it's all right for ; **à quoi —?** what's the good *or* use of it ? *adv.*, sweetly.

bonasse, *adj.*, silly, good-natured.

bond, *n. m.*, bound, leap.

bonheur, *n. m.*, happiness, good-luck.

bonhomme, *n. m.*, good man, worthy man, old chap.

bonjour, *n. m.*, good morning, good day.

bonnement, *adv.*, honestly, really.

bonnet, *n. m.*, bonnet, cap ; **— de police**, forage-cap.

bonté, *n. f.*, goodness, kindness ; **— divine!** goodness gracious !

bord, *n. m.*, edge, side, brim, shore, bank, rim ; **à —**, on board.

border, *v. tr.*, to border, hem.

bosselé, *p. p.*, dented.

bottelée, *n. f.*, *dim.* of **botte**, little bunch.

bouc, *n. m.*, he-goat, billy-goat.

bouche, *n. f.*, mouth.

bouchon, *n. m.*, cork.

boucle, *n. f.*, buckle, curl.

bouffée, *n. f.*, puff, gust.

bouffette, *n. f.*, ear-knot, rosette.

bouger, *v. intr.*, to budge, stir, move.

bouillabaisse. See note p. 128.

bouquet, *n. m.*, bouquet, bunch, clump ; bouquet (flavour of wine).

bouquin, *n. m.*, (old) book.

bourdonnement, *n. m.*, hum.

bourg, *n. m.*, small country town, market-town.

bourgeois, *n. m. & adj.*, middle-class (citizen).

bourgeoisement, *adv.*, prosaically.

bourrer, *v. tr.*, to stuff.

bourse, *n. f.*, purse.

bout, *n. m.*, end, bit; **venir à — de,** to finish, manage.

bouteille, *n. f.*, bottle.

bouton, *n. m.*, button; handle (of a door).

bouvier, *n. m.*, ox-herd, cow-herd.

bouvreuil, *n. m.*, bullfinch.

braise, *n. f.*, ember, live coal.

branche, *n. f.*, branch.

branle, *n. m.*, swing, impulse; **en —,** waving, in motion.

branle-bas, *n. m.*, commotion, hubbub.

bras, *n. m.*, arm; **avec des —,** with stout arm, vigorously.

brave, *adj.*, brave, decent, honest, worthy, **fine** (*Scot.* braw); **braves gens,** good folks.

brebis, *n. f.*, ewe, sheep.

bréviaire, *n. m.*, breviary.

brigadier, *n. m.*, corporal in cavalry, artillery, A.S.C., and gendarmerie.

brigand, *n. m.*, brigand, robber.

brillant, *adj.*, brilliant, bright, shining.

briller, *v. intr.*, to shine.

brin, *n. m.*, blade, sprig; **un —,** a bit.

brique, *n. f.*, brick.

brisant, *n. m.*, breaker (originally rock on which the waves break).

brise, *n. f.*, breeze, gentle wind

broc, *n. m.*, jug, jar.

broder, *v. tr.*, to embroider.

brosser, *v. tr.*, to brush.

brouillard, *n. m.*, fog.

brouter, *v. tr. & intr.*, to browse (on), graze.

broyer, *v. tr.*, to crush, pulverize.

bruire, *v. intr.* (*impf.* bruissais), to rustle.

bruit, *n. m.*, sound, noise, rumour.

brûler, *v. tr. & intr.*, to burn.

brume, *n. f.*, mist, fog.

brun, *adj.*, brown, dark.

brutalité, *n. f.*, coarseness, rudeness.

bruyant, *adj.*, noisy.

bruyère, *n. f.*, heath, heather.

bûcheron, *n. m.*, woodcutter.

buis, *n. m.*, box, box-wood.

buissière, *n. f.*, bed of box-wood.

buisson, *n. m.*, bush, shrub.

bureau, *n. m.*, desk.

burette, *n. f.*, (*church*) cruet, flagon.

burin, *n. m.*, graver (tool), burin.

buvant, *pres. p.* of *boire.*

ça, *pron.* (contraction for **cela**), that; **ça va,** things are going all right; **ça ne fait rien,** that does not matter.

çà, *adv.*, here,

caban, *n. m.*, pea-jacket.

cabane, *n. f.*, cabin, hut

cabaret, *n. m.*, tavern, **caté.**

cabine, *n. f.*, cabin.

cabri, *n. m.*, kid, goat.

cacher, *v. tr.*, to hide.

cacheter, *v. tr.*, to seal.

cadavre, *n. m.*, corpse, dead **body**

cadis, *n. m.*, rough serge, frieze.

café, *n. m.*, coffee, café.

cage, *n. f.*, cage, frame.

cagnard, *n. m.*, sheltered nook.

cagoule, *n. f.*, hood.

cahier, *n. m.*, copy-book, exercise-book.

caillou, *n. m.*, pebble, round stone.

caisse, *n. f.*, box, drum.

calèche, *n. f.*, barouche, carriage.

caler, *v. tr.*, to prop up.

calice, *n. m.*, cup, chalice.

calme, *adj. & n. m.*, calm.

calmer, *v. tr.*, to calm.

camail, *n. m.*, camail, hood.

camarade, *n. m. & f.*, comrade, chum.

camionnage, *n. m.*, carting, cartage.

camp, *n. m.*, camp.

campanule, *n. f.*, campanula, bell (flower).

canapé, *n. m.*, sofa, couch.

canard, *n. m.*, duck.

canari, *n. m.*, canary.

candide, *adj.*, frank, simple.

canon, *n. m.*, cannon, gun; **coup de —** cannon-shot.

cantique, *n. m.*, hymn.

cape, *n. f.*, cape (with hood), **mantle.**

capiteux, *adj.*, heady, strong.

capuche, *n. f.*, cowl, hood.

capuchon, *n. m.*, hood, cowl.

caractère, *n. m.*, natural disposition, character, nature.

caramel, *n. m.*, caramel.

cardinal, *n. m.*, cardinal.

caressant, *adj.*, caressing.

caresse, *n. f.*, caress.

caresser, *v. tr.*, to caress, stroke, clap.

carillon, *n. m.*, peal (of bells).

carillonner, *v. intr.*, to peal, chime.

carmélite, *adj.*, Carmelite; light brown.

arreau, *n. m.*, diamond (*shape*), tile, pane ; check.

arriole, *n. f.*, light van, trap ; load of vehicle.

arte, *n. f.*, card.

caserne, *n. f.*, barracks.

casquette, *n. f.*, cap.

casser, *v. tr.*, to break.

catalan, *adj.*, Catalan, belonging to Catalonia (N. Spain).

cause, *n. f.*, cause ; **pour — de,** for ; **à — de,** because of.

causer, *v. tr.* & *intr.*, to talk, chat.

causerie, *n. f.*, talk, chat.

ce, cet, cette, ces, *dem. adj.*, this, that ; **cette nuit,** last night.

ce, *pron.*, that.

ceci, *dem. pron. n.*, this.

cèdre, *n. m.*, cedar.

ceinture, *n. f.*, waist-belt, sash.

ceinturon, *n. m.*, leather belt.

cela, *pron.*, that (thing) ; **avec —,** withal.

céleste, *adj.*, heavenly.

cellule, *n. f.*, cell.

celui, *pron.*, this (one), he, the one.

cendre, *n. f.*, ashes.

centaine, *n. f.*, a hundred.

cependant, *adv.*, however, nevertheless.

cercle, *n. m.*, circle.

cérémonie, *n. f.*, ceremony ; **de —,** ceremonious, formal.

cerise, *n. f.*, cherry.

certain, *adj.*, certain, a certain.

cervelle, *n. f.*, brains ; **avoir la — dure,** to be thick-headed.

cesser, *v. tr.* & *intr.*, to stop, cease.

chacun, *pron.*, each one.

chagrin, *n. m.*, grief, sorrow ; shagreen (leather).

chaîne, *n. f.*, chain

chair, *n. f.*, flesh ; **donner la — de poule,** to make the flesh creep.

chaire, *n. f.*, pulpit, desk.

chaise, *n. f.*, chair.

chaleur, *n. f.*, heat.

chalumeau, *n. m.*, reed, straw, tube, pipe.

chambellan, *n. m.*, chamberlain.

chambre, *n. f.*, room, chamber.

chambrée, *n. f.*, barrack-room (with its inmates).

chambrière, *n. f.*, chamber-maid.

chamois, *n. m.*, chamois.

champ, *n. m.*, field ; **battre aux champs,** to beat a salute *or* march.

chance, *n. f.*, chance, luck.

changer, *v. tr.* & *intr.*, to change.

chanoine, *n. m.*, canon.

chanson, *n. f.*, song.

chant, *n. m.*, song, crow ; canto.

chanter, *v. tr.* & *intr.*, to sing.

chape, *n. f.*, cope.

chapelet, *n. m.*, rosary.

chapelle, *n. f.*, chapel.

chaperon, *n. m.*, hood, cap ; hat.

chapitre, *n. m.*, chapter.

chaque, *adj.*, each, every.

char, *n. m.*, chariot, wain.

charbonnier, *n. m.*, charcoal burner.

charger, *v. tr.*, to load, charge ; **chargé,** laden.

charité, *n. f.*, charity, act of charity.

charmant, *adj.*, charming, delightful.

charme, *n. m.*, charm.

charpente, *n. f.*, timber-work, wooden frame.

charrette, *n. f.*, cart.

charretier, *n. m.*, carter, waggoner.

chartreuse, *n. f.*, chartreuse (liqueur).

chasse, *n. f.*, hunting, shooting, sport.

chasser, *v. tr.* & *intr.*, to chase, drive out, hunt, shoot.

chasuble, *n. f.*, chasuble, sleeveless vest worn over the alb (*aube*).

châtaigne, *n. f.*, chestnut.

châtaignier, *n. m.*, chestnut-tree.

château, *n. m.*, castle, palace, country-house.

châteauneuf, name of wine. See p. 93.

chattière, chatière, *n. f.*, hole in door for the cat to go out and in by.

chaud, *adj.*, warm, hot.

chauffer, *v. tr.*, to warm, heat.

chausses, *n. f. pl.*, hose.

chauve, *adj.*, bald.

chaux, *n. f.*, lime; **peint à la —,** whitewashed.

chemin *n. m.*, road, way.

cheminée, *n. f.*, chimney, mantelpiece.

chêne, *n. m.*, oak; **chêne vert,** evergreen oak, ilex.

chenil, *n. m.*, kennels.

cher, *adj.*, dear.

chercher, *v. tr.*, to look for, seek; **aller —,** to go for, get.

cheval, *n. m.*, horse.

chevet, *n. m.*, pillow, bedside.

cheveu, *n. m.*, hair; *pl.*, hair (of head).

chèvre, *n. f.*, goat.

chevreau, *n. m.*, kid.

chevrette, *n. f.*, little goat, kid.

chez, *prep.*, at the house of, among, with, in the county of.

chien, *n. m.*, dog.

choc, *n. m.*, shock, clash, crash, knocking together.

chœur, *n. m.*, choir.

choisir, *v. tr.*, to choose.

chose, *n. f.*, thing.

chrétien, *adj. & n. m.*, Christian.

chronique, *n. f.*, chronicle.

chroniqueur, *n. m.*, reporter.

chuchotement, *n. m.*, whisper.

chuchoter, *v. tr. & intr.*, to whisper.

chut! *interj.*, hush!

ciel, *n. m.*, sky, heaven.

cierge, *n. m.*, candle, taper.

cigale, *n. f.*, cicada.

cigogne, *n. f.*, stork.

cilice, *n. m.*, hair-shirt (worn to mortify the flesh).

cimetière, *n. m.*, cemetery.

cirage, *n. m.*, blacking.

circuler, *v. intr.*, to circulate, go round.

ciseau, *n. m.*, chisel; *pl.*, **ciseaux,** scissors.

ciseler, *v. tr.*, to chisel, chase.

ciseleur, *n. m.*, chaser, carver in metals.

citre (*local*), *n. m.*, kind of melon.

civière, *n. f.*, litter, sling.

clair, *adj.*, clear, bright; (of colour) light; *adv.*, clearly.

claire-voie, *n. f.*; **porte à —,** wicketgate.

claque, *n. m.*, opera-hat, crush-hat.

clarté, *n. f.*, clearness, brightness; *pl.*, gleams, streaks.

clef, *n. f.*, key.

clerc de maîtrise, choir-boy, chorister.

clergé, *n. m.*, clergy.

clientèle, *n. f.*, customers.

clignement, *n. m.*, wink.

clignoter, *v. intr.*, to blink, wink.

cliquetis, *n. m.*, clashing, jingling.

cliquettes, *n. f. pl.*, clappers, bones.

cloche, *n. f.*, bell.

clocher, *n. m.*, bell-tower, church-tower.

clochette, *n. f.*, (little) bell.

clocheton, *n. m.*, turret.

cloître, *n. m.*, cloister.

clos, *p. p.* of **clore,** shut, enclosed; *n. m.*, paddock, park.

coche, *n. m.*, coach; passenger barge.

cocher, *n. m.*, coachman.

cœur, *n. m.*, heart, courage; **de bon —,** heartily; **à — joie,** to one's heart's content; **au plein — de,** in the very heart of.

coiffe, *n. f.*, head-dress, bonnet.

coin, *n. m.*, corner, nook.

col, *n. m.*, collar.

colère, *n. f.*, anger.

colimaçon, *n. m.*, snail; **en —,** spiral, winding.

colorier, *v. tr.*, to colour.

collant, *adj.*, tightly fitting, tight.

coller, *v. tr.*, to glue, stick; **collé,** glued, sticking.

colline, *n. f.*, hill.

colonnette, *n. f.*, little column.

combat, *n. m.*, combat, fight, struggle.

combien, *adv.*, how much, how many.

comices (*n. m. pl.*) **agricoles,** agricultural show.

commande, *n. f.*, order.

commander, *v. tr. & intr.*, to command, order.

comme, *adv.*, as, like, as it were ; — ça, like that ; — si, as if.

commencer, *v. tr. & intr.*, to begin.

comment, *adv.*, how ; — faire ? what was one to do ? — allez-vous ? how are you ? *In question*, what ?

commerce, *n. m.*, trade, business.

commère, *n. f.*, gossip.

communauté, *n. f.*, corporation, convent.

commune, *n. f.*, commune, parish.

compagnie, *n. f.*, company.

compagnon, *n. m.*, companion, journeyman, craftsman (member of a guild).

comparaître, *v. intr.*, to appear (*esp.* before judge, lawyer, etc.).

compas, *n. m.*, compasses.

complaire, *v. intr.*, to please, humour.

complaisance, *n. f.*, complacency, self-satisfaction.

complètement, *adv.*, completely, entirely.

complies, *n. f. pl.*, compline (final service of the day).

comporter ; se —, to behave, stand.

composer, *v. tr.*, to compose, write.

comprendre, *v. tr.*, to understand.

compte, *n. m.*, account ; tenir — de, to give credit for ; se rendre —, to make sure, prove.

compter, *v. tr.*, to count.

comptoir, *n. m.*, counter, bar.

Comtat, *n. m.*, district of Vaucluse, a papal territory.

comte, *n. m.*, count (nobleman).

concours, *n. m.*, competition, show.

condition, *n. f.*, condition, state ; service.

conducteur, *n. m.*, driver, coachman, guide.

conduire, *v. tr.*, to lead, guide, drive, accompany.

confection, *n. f.*, concoction, manufacture.

conférence, *n. f.*, conference, meeting.

confiance, *n. f.*, trust, confidence.

confier, *v. tr.*, to entrust ; se — à, to trust, confide in.

confiture, *n. f.*, jam, preserve.

contrérie, *n. f.*, brotherhood, guild.

congé, *n. m.*, leave, furlough ; prendre — de, to take leave of.

connaissance, *n. f.*, knowledge, acquaintance.

connaître, *v. tr.*, to know, recognize ; se — à, to be skilled in.

connu, *p. p.* of *connaître*.

conseil, *n. m.*, council, meeting.

conseiller (*n. m.*) municipal, town-councillor.

consentir, *v. intr.*, to consent.

considérer, *v. tr.*, to consider.

consoler, *v. tr.*, to console, comfort.

conspirer, *v. intr.*, to conspire, plot.

consterné, *adj.*, in consternation, sorely troubled.

consul, *n. m.*, consul, chief magistrate (Roman).

consumer, *v. tr.*, to consume, eat away ; se —, to waste away, eat one's heart out.

conte, *n. m.*, tale, story.

contemplation, *n. f.*, contemplation, gazing.

contenir, *v. tr.*, to contain, restrain.

content, *adj.*, pleased, happy.

contenter, *v. tr.*, to content, satisfy.

conter, *v. tr.*, to tell, relate.

continuer, *v. tr.*, to continue.

contraire, *adj.*, contrary ; au —, on the contrary.

contre, *conj.*, against.

convenance, *n. f.*, convenience, propriety ; à ma —, suitable.

convenir, *v. intr.*, to agree ; convenu, agreed (upon).

conviction, *n. f.*, conviction.

copeau, *n. m.*, shaving.

copie, *n. f.*, copy (journalistic).

coq, *n. m.*, cock.

coque, *n. f.*, hull ; knot of ribbons or of hair.

coquette, *n. f.*, flirt.

coquin, *n. m.*, rascal, scamp, knave.

coquine, *n. f.*, hussy, baggage, wretch.

corailleur, *n. m.*, coral-fishing boat.

corbeau, *n. m.*, carrion-crow, raven.

corbeille, *n. f.*, basket, hamper.

cordage, *n. m.*, cordage, ropes.

corde, *n. f.*, rope, cord.

corne, *n. f.*, horn.

cornue, *n. f.*, retort (chemistry).

corps, *n. m.*, body; prendre —, to become stout; — de garde, guard-room.

corridor, *n. m.*, corridor, passage.

Corse, *n. f.*, Corsica; corse, *adj.*, Corsican.

corvée, *n. f.*, hard *or* unpleasant task, job; fatigue duty.

corvette, *n. f.*, sloop of war.

costume, *n. m.*, costume; en grand —, in full uniform *or* dress.

côte, *n. f.*, coast; hill, slope.

côté, *n. m.*, side; du — de, in the direction of, towards; à — de, beside, compared with; de tous côtés, on every side.

coteau, *n. m.*, hill, slope.

cou, *n. m.*, neck.

couchant, *n. m.*, sunset, western sky; du côté du —, in the western sky, to the west.

couche, *n. f.*, arbre de —, driving shaft.

coucher, *v. tr.* & *intr.*, to put to bed, put up; to sleep; se —, to lie down, go to bed; couché, lying.

couchette, *n. f.*, crib, berth, bunk.

coude, *n. m.*, elbow; se pousser du —, to nudge one another.

couler, *v. intr.*, to stream, flow.

couleur, *n. f.*, colour.

couloir, *n. m.*, corridor, passage.

coulpe (*old*), *n. f.*, confession.

coup, *n. m.*, blow, stroke; tout à —, suddenly, all at once; du (d'un) —, at one stroke, with the shock; — de canon, cannon-shot; — d'œil, glance; — de pied, kick; — de théâtre, striking event, scene; — de vin, sip, drink of wine; — de vent, gust; sur le — de midi, on the stroke of, about noon.

couper, *v. tr.*, to cut.

cour, *n. f.*, court, courtyard; bien en —, in favour at court.

courage, *n. m.*, courage, bravery.

courageusement, *adv.*, bravely.

courber, *v. tr.*, to curve, bend.

couler, *v. intr.*, to flow.

coureuse, *n. f.*, wanderer, gadabout.

courir, *v. tr.* & *intr.*, to run, hasten, gad about, be current; — la mer, to rove over the sea.

courlis, *n. m.*, curlew.

couronne, *n. f.*, crown, wreath.

cours, *n. m.*, course; promenade, row

court, *adj.*, short.

courtisan, *n. m.*, courtier.

cousin, *n. m.*, cousin.

coussin, *n. m.*, cushion, pillow.

coûter, *v. tr.*, to cost.

couvent, *n. m.*, convent, monastery.

couvert, *n. m.*, cover; plantation; à —, protected, safe.

couvert, *n. m.*, place set at table.

couverture, *n. f.*, rug, blanket, plaid.

couvrir, *v. tr.*, to cover: couvert (de), covered (with).

crainte, *n. f.*, fear.

craintivement, *adv.*, timidly, fearfully.

cramponner; se — à, to hold on to, cling to, clutch.

craquement, *n. m.*, cracking, creaking, crash.

craquer, *v. intr.*, to crack, creak, crackle.

crayon, *n. m.*, pencil.

créature, *n. f.*, creature.

crécelle, *n. f.*, rattle.

crèche, *n. f.*, crib, manger.

crépitement, *n. m.*, crackling.

crête, *n. f.*, crest.

creuser, *v. tr.*, to hollow out; se — la tête, to rack one's brains.

creux, *adj.* & *n. m.*, hollow.

crevassé, *adj.*, seamed, lined.

crever, *v. tr.*, to burst, tear; — le cœur, to make one's heart bleed. avoir le cœur crevé, to be heartbroken.

cri, *n. m.*, cry, shout.

cric, *n. m.*, jack.

crier, *v. tr.* & *intr.*, to cry, shout, creak.

crinière, *n. f.*, mane.

cristal, *n. m.*, crystal, glass.

croire, *v. tr. & intr.*, to believe, think ; — à, to believe in.

croisée, *n. f.*, window.

croix, *n. f.*, cross.

crosse, *n. f.*, crook, staff, crosier.

crouler, *v. intr.*, to crumble.

croupe, *n. f.*, croup, crupper.

crû, *p. p.* of *croître*.

cru, *n. m.*, growth ; **vin du —**, home grown wine=*vin du pays*.

cruauté, *n. f.*, cruelty.

crucifix, *n. m.*, crucifix.

cruel, cruelle, *adj.*, cruel.

cucule, *n. f.*, hood.

cueillir, *v. tr.*, to gather, pluck.

cuiller, *n. f.*, spoon.

cuisine, *n. f.*, kitchen, cooking.

cuit, *p. p.* of *cuire*, cooked ; **vin —**, mulled wine.

cuivre, *n. m.*, copper, brass.

culotte, *n. f.*, breeches.

curé, *n. m.*, curé, parish priest.

curieusement, *adv.*, inquisitively, curiously.

curieux, *adj.*, curious, inquisitive.

cymbale, *n. m.*, cymbal.

cyprès, *n. m.*, cypress.

cytise, *n. m.*, cytisus, laburnum.

dague, *n. f.*, dagger.

dais, *n. m.*, canopy.

dalle, *n. f.*, flag-stone.

dame, *n. f.*, lady ; **dame !** by our lady ! (petty oath).

damner, *v. tr.*, to damn.

dans, *prep.*, in, among.

danse, *n. f.*, dance ; **entrer en —**, begin to play.

danser, *v. intr.*, to dance, toss, twinkle ; **faire —**, to play dance music to.

datte, *n. f.*, date (fruit).

davantage, *adv.*, more.

de, *prep.*, of, from, with, by.

débâcle, *n. f.*, ruin, overthrow.

débarquer, *v. tr. & intr.*, to disembark.

débattre ; se —, to struggle ; to be discussed.

débauches, *v. tr.*, to lead astray, corrupt.

débordement, *n. m.*, running over.

déborder, *v. intr.*, to overflow, run over, brim over.

déboucher, *v. tr.*, to uncork, open.

debout, *adv.*, standing.

débraillé, *adj.*, loosely dressed, untidy.

débris, *n. m.*, debris, wreckage.

déclamer, *v. tr.*, to declaim.

décolérer, *v. intr.*, to calm down.

décombres, *n. m. pl.*, ruins, debris.

déconvenue, *n. f.*, disappointment, rebuff.

découper, *v. tr.*, to cut out, silhouette.

décourager, *v. tr.*, to discourage.

découvrir, *v. tr.*, to discover ; **se —**, to be shown, come out.

décrire, *v. tr.*, to describe ; *p. p.*, décrit.

dedans, *adv.*, inside ; **au — de**, within.

dédoré, *adj.*, with the gilt worn off.

défiguré, *adj.*, disfigured.

défilé, *n. m.*, defile, filing past.

défiler, *v. intr.*, to defile, file past.

défunt, *adj.*, dead, deceased.

dégager, *v. tr.*, to clear ; **se —**, to emerge, stand out.

dégrafer, *v. tr.*, to unhook, unfasten.

degré, *n. m.*, degree.

dégringoler, *v intr.*, to rush *or* tumble down.

déguiser, *v. tr.*, to disguise.

déguster, *v. tr.*, to sip, relish.

dehors, *adv.*, outside ; **au — (de)**, outside (of) ; **en — de**, beyond.

déjà, *adv.*, already.

déjeuner, *v. intr.*, to lunch ; *n. m.*, lunch.

délibérer, *v. tr. & intr.*, to deliberate, consider.

délicieux, *adj.*, delicious, delightful.

demain, *adv.*, to-morrow.

demander, *v. tr.*, to ask ; **se —**, to ask one another ; to ask oneself, wonder.

démanger, *v. intr.*, to itch.

démener ; se —, to rush, bustle about, to act violently.

demeurer, *v. intr.*, to stay, dwell, remain.

demi, *adj.,* half; **demi-heure,** half hour; **demi-jour,** half light; **demi-sommeil,** drowsiness, dose; **demi-voix,** subdued voice.

demoiselle, *n. f.,* young lady.

dent, *n. f.,* tooth; **à belles dents,** greedily.

dentelé, *adj.,* toothed, serrated (like leaf of dandelion).

dentelle, *n. f.,* lace, tracery.

dépareillé, *adj.,* odd (volume)

départ, *n. m.,* departure.

dépasser, *v. tr. & intr.,* to stick out (beyond).

dépêcher, *v. tr.,* to hurry, hasten.

dépense, *n. f.,* expense; pantry, larder.

déployer, *v. tr.,* to display, show.

depuis, *adv. & prep.,* since, for; **— que,** *conj.,* since.

déranger, *v. tr.,* to trouble, disturb.

dérive, *n. f.;* **à la (or en) —,** drifting, adrift.

dernier, *adj.,* last; **le — rayon,** the top shelf.

déroute, *n. f.,* rout; **en —,** in full flight, in tatters.

derrière, *prep. & adv.,* behind; *n. m.,* back; **pattes de —,** hind paws

dès, *prep.,* (exactly) from.

désappointé, *adj.,* disappointed.

descendre, *v. tr. & intr.,* to go *or* come down, get off, dismount; take *or* bring down.

descente, *n. f.,* way down, going down.

désert, *n. m.,* desert; *adj.,* deserted.

désespérer, *v. tr.,* to drive to despair; **se —,** to despair.

désespoir, *n. m.,* despair; *pl.,* fits of despair.

déshonorer, *v. tr.,* to dishonour, put to shame.

désolation, *n. f.,* distress, grief.

désoler, *v. tr.,* to distress; **se —,** to be in great distress, lament.

désormais, *adv.,* henceforth.

dessert, *n. m.,* desert.

desservi, *p. p.* of *desservir,* served.

dessiner, *v. tr.,* to draw, sketch.

dessous, *adv.,* below.

dessus, *adv.,* above.

détacher, *v. tr.,* to unfasten, let loose; **lui — un coup,** to let him have a kick.

détail, *n. m.,* detail.

détaler, *v. tr. & intr.,* to scamper down *or* off.

dételer, *v. tr.,* to unyoke, unharness.

détour, *n. m.,* detour; **faire un —,** to go a roundabout way.

détraqué, *adj.,* deranged, unhinged.

détroit, *n. m.,* strait, straits.

dévaler, *v. tr. & intr.,* to slope, trot down.

devant, *prep. & adv.,* in front of; **marcher — soi,** to walk straight on.

devenir, *v. intr.,* to become.

dévider, *v. tr.,* to unwind, reel off.

deviner, *v. tr.,* to guess.

devoir, *v. tr.,* to owe; ought, should, must.

dévorer, *v. tr.,* to devour, eat up.

dia ! (to horse), keep to left !)(hue, *q.v.*

diable, *n. m.,* devil, Evil One; **où — ?** where the mischief? **— soit de,** plague take.

diabolique, *adj.,* diabolical.

diane, *n. f.,* morning bugle *or* drum, reveille.

dictionnaire, *n. m.,* dictionary.

dicton, *n. m.,* saying, saw.

Dieu, *n. m.,* God.

différent, *adj.,* different.

digitale, *n. f.,* foxglove.

diligence, *n. f.,* diligence, stage-coach.

dimanche, *n. m.,* Sunday.

dindon, *n. m.,* turkey.

dîner, *v. intr.,* to dine; *n. m.,* dinner

diplomatie, *n. f.,* diplomacy.

dire, *v. tr.,* to say; *p. p.,* dit.

direction, *n. f.,* direction.

diriger, *v. tr.,* to direct; **se — vers,** make for.

discipline, *n. f.,* discipline; **se donner la —,** to flog oneself.

discours, *n. m.,* speech.

discrètement, *adv.,* cautiously, unobtrusively.

disette, *n. f.,* want, famine.

disparaître, *v. intr.* (*p. hist.,* **disparus**), to disappear.

dispenser, *v. tr.*, to dispense.

distillerie, *n. f.*, distillery.

distrait, *adj.*, distracted, absent-minded.

divan, *n. m.*, couch.

divin, *adj.*, divine.

docile, *adj.*, docile, tractable.

doctoralement, *adv.*, in learned, pedantic fashion.

doigt, *n. m.*, finger.

dominer, *v. tr.*, to dominate, rise above.

donc, *adv.*, then, therefore, well then ; (*with imperative*) just, do.

donner, *v. tr.*, to give ; s'en —, to let oneself go, enjoy oneself.

donneur, *n. m.*, giver.

dont, *rel. pron.*, of whom, of which, whose.

doré, *p. p.* & *adj.*, golden, gilt, gilded, gilt-edged.

dorénavant, *adv.*, henceforward.

dormir, *v. intr.*, to sleep.

dos, *n. m.*, back.

douanier, *n. m.*, custom-house officer, coast-guard.

double, *adj.* & *n. m.*, double.

doucement, *adv.*, softly, sweetly, gently.

doucettement, *adv.*, gradually, gently.

douceur, *n. f.*, gentleness, sweetness.

douter, *v. intr.*, to doubt ; se —, to suspect.

doux, douce, *adj.*, sweet, gentle, soft.

drame, *n. m.*, drama, tragedy.

drap, *n. m.*, cloth, sheet.

drapé, *p. p.*, draped.

drapière, *n. f.*, cloth merchant's *or* draper's wife.

dresser, *v. tr.*, to put up ; lay (table) ; se —, to rise, sit up.

droit, *n. m.*, right, law.

droit, *adj.*, straight.

droite, *n. f.*, right hand.

drôle, *adj.* & *n. m.*, funny, queer, rascal, scamp.

dunette, *n. f.*, poop, poop-deck.

dur, *adj.*, hard ; avoir l'oreille dure, to be hard of hearing.

durer, *v. intr.*, to last, endure, go on.

dut, 3rd *sing. p. hist.* of *devoir*.

eau, *n. f.*, water ; eau-de-vie, brandy.

éblouir, *v. tr.*, to dazzle ; éblouissant, dazzling.

ébranler ; s'—, to shake, get under way.

échapper (à), *v. intr.*, to escape (from) ; s'— de, to escape out of.

échaudé, *p. p.* & *adj.*, scalded ; *n. m.*, cracknel.

échelle, *n. f.*, ladder.

éclabousser, *v. tr.*, to bespatter.

éclair, *n. m.*, flash.

éclairer, *v. tr.*, to light, give light to.

éclat, *n. m.*, burst, outburst; splinter.

éclatant, *adj.*, bright, ringing, sonorous.

éclater, *v. intr.*, to burst out ; shine brightly.

école, *n. f.*, school.

écorcher, *v. tr.*, to chafe, flay, skin.

écouter, *v. tr.* & *intr.*, to listen, listen to.

écraser, *v. tr.*, to crush.

écrier ; s'—, to cry out, shout.

écrire, *v. tr.*, to write.

écriture, *n. f.*, writing.

écu, *n. m.*, crown, five-franc piece.

écuelle, *n. f.*, bowl.

écuellée, *n. f.*, bowlful.

écume, *n. f.*, foam, froth.

écurie, *n. f.*, stable.

écuyer, *n. m.*, groom, stable-lad, riding-master.

effacer, *v. tr.*, to efface, blot out.

effarer, *v. tr.*, to terrify, scare, bewilder.

effaroucher, *v. tr.*, to scare.

effectivement, *adv.*, indeed, and in fact.

effet, *n. m.*, effect ; en —, indeed, in fact.

effort, *n. m.*, effort, attempt.

effrangé, *p. p.* & *adj.*, frayed.

effrayer, *v. tr.*, to terrify ; s'—, to become frightened.

effroi, *n. m.*, fear, terror.

effronté, *adj.*, shameless, impudent, cheeky.

effrontément, *adv.*, shamelessly.

effroyable, *adj.*, fearful, frightful.

égal, *adj.*, equal ; c'est —, it's all the same.

égaré, *p. p.*, distracted.

égayer, *v. tr.*, to amuse, enliven.

église, *n. f.*, church.

égouttement, *n. m.*, dripping.

égoutter ; s'—, to fall drop by drop, drip.

élan, *n. m.*, dash, spirit ; **prendre son —,** to prepare to launch out.

élargir ; s'—, to widen out, become vaster.

élégant, *adj.*, elegant, fashionable.

élever, *v. tr.*, to raise.

élixir, *n. m.*, elixir.

éloigner, *v. tr.*, to put away ; **s'—,** to withdraw, move farther away.

émail, *n. m.*, enamel.

emballeur, *n. m.*, packer.

embarquer, *v. tr.*, to put on board ; **s'—,** to go on board.

embarras, *n. m.*, embarrassment.

embaumer, *v. tr. & intr.*, to embalm, smell sweetly.

embaumé, *adj.*, sweetly scented.

embrasé, *p. p. & adj.*, blazing.

embrasser, *v. tr.*, to embrace, kiss.

embrasure. *n. f.*, recess.

embusquer ; s'—, to lie in ambush, lie in wait.

émeraude, *n. f.*, emerald.

emmener, *v. tr.*, to lead *or* take away.

émoi, *n. m.*, stir, excitement.

émotion, *n. f.*, emotion, feeling.

émouvoir ; s'—, to be moved, affected.

empêcher, *v. tr.*, to prevent.

empeser, *v. tr.*, to starch.

emplir, *v. tr.*, to fill.

empoisonner, *v. tr.*, to poison.

emporter, *v. tr.*, to carry *or* take (away).

empresser ; s'—, to hasten, be eager *or* anxious.

ému, *p. p.* of *s'émouvoir*, deeply moved *or* affected.

en. *pron.*, of it, of them ; *adv.*, away.

en, *prep.*, in.

encadrer, *v. tr.*, to frame.

encapuchonné, *adj.*, hooded.

enchanté, *p. p. & adj.*, enchanted, magic.

enclos, *n. m.*, enclosure.

encoignure, *n. f.*, corner (formed by two inner walls).

encombré, *p. p.*, encumbered, littered, crowded.

encombrement, *n. m.*, litter, confusion.

encore, *adv.*, still, yet, nevertheless, again, moreover, even, even then ; **— un,** one more, still another ; **— un peu,** a little more, a little longer.

encorné, *p. p.*, horned, fitted with horns.

endimanché, *p. p.*, dressed in one's Sunday best.

endormir, *v. tr.*, to send *or* put to sleep ; **s'—,** to fall asleep , *p. p.*, **endormi,** asleep.

endroit, *n. m.*, place, spot.

enfant, *n. m.*, child, boy, girl ; **bon —,** kindly, good-natured.

enfantin. *adj.*, childish.

enfermer, *v. tr.*, to shut up *or* in.

enfin, *adv.*, at last, in short, lastly, finally, after all.

enflammer ; s'—, to blaze up.

enfoncer, *v. tr.*, to plunge in ; **s'—,** to plunge, sink into.

enfoui, *p. p.* of *enfouir*, buried.

enfuir ; s'—, to flee, run off.

engageant, *adj.*, interesting, attractive.

engin, *n. m.*, snare, gin, etc.

engouffrer, *v. tr.*, to engulf ; **s'— dans,** to plunge into, be swallowed up in.

enjôleuse, *n. f.*, flirt.

enlever, *v. tr.*, to carry *or* take away, rob.

ennui, *n. m.*, boredom, weariness.

ennuyer, *v. tr.*, to weary, bore ; **s'—,** to become tired, weary, dull, bored.

énorme, *adj.*, enormous, huge.

enragé, *adj.*, mad, irrepressible, fanatical.

enregistrement, *n. m.*, registration.

enrichir, *v. tr.*, to make rich ; **s'—,** to grow rich.

enroué, *adj.*, hoarse.

ensemble, *adv.*, together.

ensoleillé, *adj.*, sunny, sunlit, bright with sun.

ensommeillé, *adj.*, dosing, asleep.

ensorcelé, *p. p.* & *adj.*, bewitched.

ensuite, *adv.*, then, next.

entamer, *v. tr.*, to start, attack, begin (on).

entasser, *v. tr.*, to heap or pile up.

entendre, *v. tr.*, to hear, listen to, understand ; **un air entendu,** a knowing air.

enterrer, *v. tr.*, to inter, bury.

enthousiasme, *n. m.*, enthusiasm.

entier, *adj.*, entire, whole.

entièrement, *adv.*, entirely, quite.

entonner, *v. tr.*, to strike up, sing, chant.

entourer, *v. tr.*, to surround.

entraîner, *v. tr.*, to drag or carry away.

entre, *prep.*, between, among.

entre-pont, *n. m.*, between- ('tween-) decks.

entrée, *n. f.*, entrance.

entreprendre, *v. tr.*, to undertake.

entreprise, *n. f.*, enterprise.

entrer à or dans, *v. intr.*, to enter, come or go in.

entr'ouvrir, *v. tr.*, to half open ; *p. p.*, entr'ouvert, half-open, ajar.

envahir, *v. tr.*, to invade, steal over ; grow or spread over.

envie, *n. f.*, inclination, desire ; avoir — de, to feel inclined to ; faire —, to tempt.

envoler, **s'—,** to fly away, fly off or up.

envoyer, *v. tr.*, to send.

épanouir, **s'—,** to spread or open out, to beam.

éparpillement, *n. m.*, dispersion.

éparpiller, *v. tr.*, to scatter abroad, disperse.

épaule, *n. f.*, shoulder.

épée, *n. f.*, sword ; — de gala, court sword, small sword

épervier, *n. m.*, cast-net.

épisode, *n. m.*, episode.

éploré, *adj.*, in tears.

éponger, *v. tr.*, to sponge, mop.

épousseter, *v. tr.*, to dust.

épouvante, *n. f.*, terror, alarm.

épouvanté, *p. p.*, terrified, terror-stricken.

époux, *n. m.*, husband.

éprendre ; **s'—,** to take a liking to, fall in love with.

éprouvette, *n. f.*, test-tube.

équipage, *n. m.*, crew.

ermite, *n. m.*, hermit.

errer, *v. intr.*, to wander.

escalier, *n. m.*, staircase, stairs.

escarpin, *n. m.*, shoe, slipper.

Espagne, *n. f.*, Spain.

espèce, *n. f.*, kind, sort.

espérer, *v. tr.* & *intr.*, to hope.

espoir, *n. m.*, hope.

esprit, *n. m.*, mind, spirit.

essayer, *v. tr.*, to try, try on.

essieu, *n. m.*, axle.

essoufflé, *adj.*, out of breath.

essuyer, *v. tr.*, to wipe, dry.

est, *n. m.*, East.

estomac, *n. m.*, stomach.

étable, *n. f.*, stable, byre.

établir, *v. tr.*, to establish, set up.

étage, *n. m.*, stage, storey.

étain, *n. m.*, tin.

étang, *n. m.*, pond, pool.

état, *n. m.*, state, condition ; dans tous ses états, in a fury.

éteindre, *v. tr.*, to extinguish, put out ; *p. p.*, éteint, extinct.

étendre, *v. tr.*, to stretch out, spread.

éternellement, *adv.*, eternally, for ever.

éternité, *n. f.*, eternity.

étincelant, *pres. p.* & *adj.*, sparkling.

étinceler, *v. intr.*, to sparkle, glitter.

étincelle, *n. f.*, spark

étique, *adj.*, lank, lean, emaciated.

étiqueteur, *adj.* & *n. m.*, labeller.

étiquette, *n. f.*, ticket, label.

étoile, *n. f.*, star ; à la belle —, in the open air.

étole, *n. f.*, stole.

étonnement, *n. m.*, astonishment, surprise.

étonner, *v. tr.*, to astonish, surprise.

étouffer, *v. tr.*, to suffocate, stifle.

étourneau, *n. m.*, starling.

être, *v. intr.*, to be ; *n. m.*, being, creature.

étroit, *adj.*, narrow.

étude, *n. f.*, study ; (lawyer's) office.

éveiller, *v. tr.*, to awaken; **éveillé,** wide-awake.

événement, *n. m.*, event.

éventrer, *v. tr.*, to slit open, rip up.

évidemment, *adv.*, evidently.

éviter, *v. tr.*, to avoid, shun

évoquer, *v. tr.*, to evoke, call up.

excepté, *prep.*, except.

exemple, *n. m.*, example; **par — !** by Jove! I should just think.

exercer, *v. tr.*, to exercise, train, drill.

exhaler, *v. tr.*, to exhale, breathe *or* give out.

exorcisé, *p. p.*, exorcised, delivered from an evil spirit.

expliquer, *v. tr.*, to explain.

exploit, *n. m.*, exploit.

exportation, *n. f.*, exportation, sending away.

exposer, *v. tr.*, to expose, set out, display; **s'— à,** to run the risk of.

exquis, *adj.*, exquisite, delicious.

extase, *n. f.*, ecstasy, trance.

extraordinaire, *adj.*, extraordinary, strange, odd.

extrémité, *n. f.*, extremity.

fabriquer, *v. tr.*, to fabricate, manufacture.

façade, *n. f.*, façade, front of building.

face, *n. f.*, face; **en —,** opposite; **— à — de,** opposite, facing.

facette, *n. f.*, facet.

fâché, *p. p.* & *adj.*, sorry, angry.

fâcher, *v. tr.*, to vex, annoy; **se —,** to get angry.

façon, *n. f.*, fashion, way; **à sa —,** in his own way.

facteur, *n. m.*, postman.

faction, *n. f.*, sentry duty.

Faculté, *n. f.*; **la —,** the Faculty of Medicine.

fade, *adj.*, tasteless, insipid.

faïence, *n. f.*, china.

faim, *n. f.*, hunger; **avoir —,** to be hungry.

faire, *v. tr.*, to make, do; say; **se —,** to become; **se — à,** to become accustomed to.

fait, *n. m.*, fact; **tout à —,** quite, completely.

falloir, *v. intr.*, to be necessary; **il faut,** it is necessary, is needed; **il fallait voir,** you should have seen.

fameux, *adj.*, famous.

famille, *n. f.*, family.

fanal, *n. m.*, (ship's) lantern, beacon.

fané, *p. p.*, faded, withered.

fanfare, *n. f.*, flourish of trumpet, blast of horn.

fantaisie, *n. f.*, fantasy, fancy, imagination.

fantastique, *adj.*, fantastic

farandole, *n. f.*, Provençal dance. See p. xiv.

farine, *n. f.*, flour.

farouche, *adj.*, fierce, wild, shy, forbidding.

fatigué, *p. p.* & *adj.*, tired, weary.

faubourg, *n. m.*, suburb.

faut, see falloir.

faute, *n. f.*, fault, error, mistake; **— de,** for lack of.

fauteuil, *n. m.*, armchair.

fauvette, *n. f.*, warbler (bird).

favori, *n. m.*, (side-) whisker.

fée, *n. f.*, fairy, witch.

fendre, *v. tr.*, to cleave, split, break.

fenêtre, *n. f.*, window.

fente, *n. f.*, chink, crack.

fer, *n. m.*, iron; **chemin de —,** railway; **— de cheval,** horse-shoe.

férigoule (*local*), *n. f.*, thyme.

ferme, *n. f.*, farm.

fermer, *v. tr.*, to close, shut, lock.

ferrade, *n. f.*, branding. See p. 125.

fervent, *adj.*, fervent, zealous.

fête, *n. f.*, holiday, merry-making; **faire — à,** to give a great welcome to.

feu, *n. m.*, fire; **— (de joie),** bonfire.

feuille, *n. f.*, leaf; sheet; **— morte,** (colour) russet.

feuillée, *n. f.*, leafage, foliage.

feuilleter, *v. tr.*, to turn over the leaves of.

feutre, *n. m.*, felt, felt hat.

fiacre, *n. m.*, cab.

fiancé (e), *adj.* & *n.*, betrothed, engaged.

fichu, *n. m.,* scarf, neckerchief.

fier; se — à, to trust to.

fier, *adj.,* proud, haughty.

fièrement, *adv.,* proudly.

fierté, *n. f.,* pride.

fièvre, *n. f.,* fever.

fifre, *n. m.,* fife, fifer.

figue, *n. f.,* fig.

figuier, *n. m.,* fig-tree.

figure, *n. f.,* face.

figurer; se —, to imagine, picture to oneself.

fil, *n. m.,* thread; **fils de la Vierge,** gossamer threads.

filer, *v. tr. & intr.,* to spin, fly along; **une étoile filante,** a shooting *or* falling star.

fille, *n. f.,* daughter, girl.

fillette, *n. f.,* little girl.

fils, *n. m.,* son.

fin, *adj.,* fine, cunning, knowing.

fin, *n. f.,* end.

fini, *n. m.,* perfection, fine quality.

finir, *v. tr. & intr.,* to finish; — **de faire,** to finish doing.

fiole, *n. f.,* phial, bottle.

flacon, *n. m.,* flagon, bottle.

flagellant, *adj.,* scourging.

flambeau, *n. m.,* torch.

flamber, *v. intr.,* to blaze.

flamboyer, *v. intr.,* to flame, blaze.

flamme, *n. f.,* flame.

flanc, *n. m.,* flank, side.

fleur, *n. f.,* flower; **à fleurs,** embroidered with flowers.

fleuri, *adj.,* covered with flowers, in bloom, blooming; ornamented with flowers, flowered.

flocon, *n. m.,* flake, wisp.

flot, *n. m.,* wave, billow, flood.

flotter, *v. intr.,* to float, wave, hover.

flûte, *n. f.,* flute, fife.

foi, *n. f.,* faith; **ma —!** upon my word!

foin, *n. m.,* hay.

fois, *n. f.,* time; **une —,** once; **à la —,** at once, at the same time.

folie, *n. f.,* folly, foolish thing.

folle, *n. f.,* madwoman, silly woman.

follette, *adj.,* playful, frolicsome, gay.

(2,808)

fonctionnaire, *n. m.,* functionary, official.

fond, *n. m.,* bottom, depth; **au —,** at heart, at the farther end; **par le —,** by the farther end; **la chambre du —,** the inner room.

fontaine, *n. f.,* fountain, spring.

fonte, *n. f.,* cast-iron.

force, *n. f.,* strength, force, might; **à — de,** by dint of, through; **à toute —,** at all costs.

forcer, *v. tr.,* to force, compel.

forêt, *n. f.,* forest.

formidable, *adj.,* frightful, formidable.

fort, *adj.,* strong; *adv.,* strongly, loudly, very; **un peu — ,** too bad.

fou, folle, *adj.,* mad, foolish.

foudroyant, *adj.,* lit. striking like a thunderbolt (**une foudre**); tremendous, devastating.

fouet, *n. m.,* whip, lash; **coup de —,** crack of whip.

fouiller, *v. tr.,* to search, rummage.

foule, *n. f.,* crowd, whole lot.

fourche, *n. f.,* (hay) fork; **coup de —,** prod with a fork.

fourmi, *n. f.,* ant.

fourneau, *n. m.,* furnace.

fournir, *v. tr.,* to furnish.

fourré, *n. m.,* thicket, brushwood.

fourrer, *v. tr.,* to crush; se — **dans, to** creep into, push oneself among.

fourrure, *n. f.,* fur, fur-coat.

fracas, *n. m.,* noise, din, crash.

fraîche, *n. f.,* cool.

fraîcheur, *n. f.,* cool, freshness.

fraîchir, *v. intr.,* to freshen, turn cool.

frais, fraîche, *adj.,* fresh, cool; **de frais,** freshly.

français, *adj.,* French; **à la française,** in the French fashion.

franchir, *v. tr.,* to cross, leap across.

franchise, *n. f.,* freedom, frankness; **en — de,** free from.

frange, *n. f.,* fringe.

franger, *v. tr.,* to fringe.

frapper, *v. tr. & intr.,* to knock, strike, beat.

frégate, *n. f.,* frigate.

frémir, *v. intr.,* to quiver.

II

frémissement, *n. m.*, quivering.
fréquent, *adj.*, frequent.
frère. *n. m.*, brother, friar.
friser, *v. tr.*, to curl, graze, brush.
frisson, *n. m.*, quiver, shiver.
frissonnant, *adj.*, quivering, shivering.
frissonner, *v. intr.*, to quiver.
froid, *adj.*, cold ; **avoir —**, to be, feel cold ; **faire —**, *impers.* to be cold, *tr.* to chill.
froideur, *n. f.*, cold, coldness, coolness.
froissement, *n. m.*, rustling, rumpling.
frôlement, *n. m.*, grazing, rustle
fromage, *n. m.*, cheese.
froment, *n. m.*, wheat, corn.
front, *n. m.*, brow, forehead.
frotter, *v. tr.*, to rub.
fuir, *v. tr. & intr.*, to flee.
fumant, *adj.*, smoking, steaming.
fumée, *n. f.*, smoke, steam.
fumer, *v. intr.*, to smoke, steam.
fureur, *n. f.*, fury ; **avec —**, furiously.
furieux, *adj.*, furious.
fusil, *n. m.*, gun ; **— à pierre**, flintlock.
fuyais, *imperf.* of *fuir*.

gagner, *v. tr.*, to gain, earn, win, get to.
gai, *adj.*, gay, light-hearted.
gaieté, *n. f.*, gaiety.
gaillard, *n. m.*, lively fellow ; *adj.*, brisk, hearty
gala, *n. m.*, gala, high festival.
galant, *adj.*, gallant, courteous ; *n. m.*, wooer.
galère, *n, f.*, galley.
galopin, *n m.*, urchin.
gambader, *v. tr.*, to gambol, frisk about.
gamelle, *n. f.*, mess-tin.
garance, *n. f.*, madder (plant and red dye).
garantir, *v. tr.*, guarantee.
garçon, *n. m.*, boy, lad, son.
garçonnet, *n. m.*, little boy, lad.
garde, *n. f.*, guard ; **chien de —**, watch-dog ; **tomber en —**, to fall on guard ; **se tenir sur ses gardes**, to be on one's guard.

garder, *v. tr.*, to keep, watch ; **se — de**, to take care not to.
gardien, *n. m.*, guardian, keeper, herd.
garnement, *n. m.*, rascal, scamp.
gars, *n. m.*, lad, fellow.
gâter, *v. tr.*, to spoil ; **se —**, to go bad, get worse.
gauche, *adj. & n. f.*, left (hand).
gaufré, *p. p. & adj.*, embossed.
gavotte, *n. f.*, gavotte (dance).
gaz, *n. m.*, gas.
gazon, *n. m.*, turf.
géant, *n. m.*, giant.
gelée, *n. f.*, frost ; **— blanche**, hoar frost.
gêner, *v. tr.*, to annoy, make ill at ease.
général, *adj. & n. m.*, general.
genêt, *n. m.*, broom.
genou, *n. m.*, knee ; *plur.*, **genoux**, lap.
gens, *n. pl fem. & m.*, people, folks ; servants.
gentil, gentille, *adj.*, nice.
gentiment, *adv.*, nicely, prettily.
gerfaut, *n. m.*, falcon.
geste, *n. m.*, gesture.
gigantesque, *adj.*, gigantic, huge.
gilet, *n. m.*, waistcoat, vest.
girouette, *n. f.*, weather-cock, vane.
gîte, *n. m.*, lair, lodging, quarters.
givre, *n. m.*, rime, white frost.
glace, *n. f.*, ice.
glisser, *v. tr. & intr.*, to glide, slide.
gloire, *n. f.*, glory, halo.
glorieux, *adj.*, glorious, vain-glorious.
gobelet, *n. m.*, goblet.
goéland, *n. m.*, (large) sea-gull.
golfe, *n. m.*, gulf, bay.
gonfler, *v. tr.*, to swell.
gorge, *n. f.*, throat, gorge.
gosier, *n. m.*, throat.
gouaille (*local*), *n. f.*, sea-bird, gull.
goudronné, *p. p.*, tarred.
gourde, *n. f.*, water-bottle.
gourmand, *adj. & n. m.*, greedy greedy creature.
gourmandise, *n. f.*, greed, envy.
goût, *n. m.*, taste.
goûter, *v. tr. & intr.*, to taste, enjoy.
goutte, *n. f.*, drop.
gouvernail, *n. m.*, helm, rudder.

gouverne, *n. f.*, guidance.
gouverner, *v. tr.*, to rule, govern.
gouverneur, *n. m.*, governor, tutor.
grâce, *n. f.*, grace, favour; — à, thanks to.
grade, *n. m.*, grade, rank.
gradin, *n. m.*, seat, bench (of a tier).
grain, *n. m.*, grain.
grand, *adj.*, great, loud; **le — air,** the open air; **son —,** her grandfather; **— ouvert,** wide open.
grandir, *v. intr.*, to grow.
grand-livre, *n. m.*, ledger.
grand'messe, *n. f.*, high mass.
grands-parents, grandparents.
grange, *n. f.*, barn.
grappe, *n. f.*, bunch, cluster.
gravats, *n. m. pl.*, rubbish, old plaster.
grave, *adj.*, grave, serious.
gravement, *adv.*, seriously.
gré, *n. m.*, will; **bon —, mal —,** willy-nilly.
grec, *adj.*, Greek.
gredin, *n. m.*, rascal.
grêle, *adj.*, slender.
grelot, *n. m.*, (round) bell.
grelotter, *v. intr.*, to shiver.
grenier, *n. m.*, granary, loft.
grès, *n. m.*, sandstone, stoneware.
grille, *n. f.*, iron-railing *or* gate.
grimper, *v. intr.*, to climb.
gris, *adj.*, grey, dull; tipsy.
griser, *v. tr.*, to intoxicate.
griserie, *n. f.*, intoxication, rapture.
grisonner, *v. intr.*, to turn grey.
gros, grosse, *adj.*, big, stout; rough, stormy; **le gros,** the main body.
grossir, *v. tr.*, to make big, swell.
groupe, *n. m.*, group.
guenille, *n. f.*, rag.
guère, *adv.*, **ne... guère,** scarcely, hardly.
guérir, *v. tr.*, to cure.
guérison, *n. f.*, cure, healing, recovery.
guérite, *n. f.*, sentry-box.
guerre, *n. f.*, war.
gueule, *n. f.*, throat (of animal).
guirlande, *n. f.*, garland.
guise, *n. f.*, way, manner; **à ta —,** at your own sweet will.

habiller, *v. tr*, to dress, clothe.
habit, *n. m.*, coat (*esp.* dress-coat); *pl.* clothes.
habitant, *n. m.*, inhabitant.
habiter, *v. tr.* & *intr.*, to inhabit, live, dwell.
habitude, *n. f.*, habit, custom.
habituer, *v. tr.*, to accustom.
'hache, *n. f.*, axe.
'hacher, *v. tr.*, to cut up.
'haie, *n. f.*, hedge; **faire la —,** to line up (in two rows).
haleine, *n. f.*, breath.
'haleter, *v. intr*, to pant.
'hallebarde, *n. f.*, halberd.
'hangar, *n. m.*, shed.
'hanneton, *n. m.*, cockchafer.
'hardi, *adj.*, bold.
'hardiment, *adv.*, boldly.
harmonie, *n. f.*, harmony; **table d'—,** sounding-board.
'harnacher, *v. tr.*, to harness, deck.
'hasard, *n. m.*, hazard, chance.
'hâte, *n. f.*, haste; **à la —,** in haste.
'hausser, *v. tr.*, to raise; **— les épaules,** to shrug one's shoulders.
'haut, *adj.*, high, loud; **en —,** up above, on deck; **tout en —,** right up; **de —,** upstairs; **du — en bas,** from top to bottom; **à haute voix,** aloud.
'haut, *adv.*, loudly.
'hauteur, *n. f.*, height.
**'hein ! interj.*, eh !
**hélas ! interj.*, alas !
'hennissement, *n. m.*, neigh, whinny.
herbe, *n. f.*, herb, grass, weed.
hermine, *n. f.*, ermine.
'héros, *n. m.*, hero
heure, *n. f.*, hour; **d'— en —,** from hour to hour, every hour (*with comparative*); **sur l'—,** at once; **tout à l'—,** in a minute, a short time ago.
heureusement, *adv.*, happily, fortunately.
heureux, -euse, *adj.*, happy, fortunate, glad.
'hibou, *n. m.*, owl
'hideux, *adj.*, hideous.

hier, *adv.*, yesterday; — **soir**, last night.

hirondelle, *n. f.*, swallow.

'hisser, *v. tr.*, to hoist.

histoire, *n. f.*, history, story.

historiette, *n. f.*, little story.

hiver, *n. m.*, winter.

'hochement, *n. m.*, toss, jerk.

'hocher, *v. tr.*, to shake, toss.

'holà ! *interj.*, ho !

homme, *n. m.*, man.

honneur, *n. m.*, honour ; **faire — à**, to do honour to.

'honte, *n. f.*, shame ; **avoir —**, to be ashamed.

'honteux, *adj.*, ashamed.

horizon, *n. m.*, horizon ; **à l'—**, on the horizon.

horloge, *n. f.*, (large) clock.

'hors, *adv.*, outside ; — **d'état**, unfit for service, useless.

hôte, *n. m.*, host, guest.

hôtesse, *n. f.*, hostess, landlady.

'houppelande, *n. f.*, ulster, mantle.

'housse, *n. f.*, cover, saddle-cloth.

'houx, *n. m.*, holly.

'huche, *n. f.*, bread-bin.

'hue ! *interj.*, (to horse) gee-up ! *or* turn to right !)(**dia**, *q.v.*

huile, *n. f.*, oil (*esp.* olive-oil).

'huit, *adj.*, eight ; — **jours**, a week.

humeur, *n. f.*, humour, temper.

humide, *adj.*, moist, wet.

humiliation, *n. f.*, humiliation.

'huppe, *n. f.*, crest.

'hurlement, *n. m.*, howl.

'hurler, *v. intr.*, to howl.

'hutte, *n. f.*, cabin.

hypothèque, *n. f.*, mortgage.

ibis, *n. m.*, ibis (bird resembling crane or stork).

ici, *adv.*, here.

idée, *n. f.*, idea, thought, plan.

idiot, *n. m.*, idiot, imbecile.

idole, *n. f.*, idol.

ignorer, *v. tr.*, to be ignorant of, not to know.

île, *n. f.*, island.

illustre, *adj.*, illustrious.

image, *n. f.*, image, picture.

imaginer, *v. tr.*, to imagine ; **s'—**, **to** picture to oneself.

imbécile, *adj. & n.*, fool.

immense, *adj.*, immense, boundless.

immobile, *adj.*, motionless, fixed.

immortelle, *n. f.*, everlasting (flower).

impassible, *adj.*, impassive, unmoved.

impatience, *n. f.*, impatience.

impatienté, *p. p. & adj.*, out of patience.

impératrice, *n. f.*, empress.

imperceptible, *adj.*, imperceptible, very faint.

importer, *v. intr.*, to matter ; **n'importe**, no matter.

impossible, *adj.*, impossible.

impression, *n. f.*, impression.

improviste ; **à l'—**, unexpectedly.

inaccessible, *adj.*, that cannot be reached.

incliner, *v. tr.*, to bow, bend ; **s'—**, **to** bend, sway.

incomparable, *adj.*, incomparable, unique.

indépendant, *adj.*, independent.

indifférent, *adj.*, indifferent, heedless.

indignation, *n. f.*, indignation.

indigner, *v. tr.*, to make indignant ; **s'—**, to become indignant.

indiquer, *v. tr.*, to indicate, point out, show.

indulgence, *n. f.*, indulgence, pardon.

industrieux, *adj.*, ingenious, clever.

infâme, *adj.*, infamous, wicked.

informer, *v. tr.*, to inform ; **s'—**, **to** ask, inquire.

infortuné, *adj.*, unfortunate, unlucky.

infuser, *v. tr.*, to infuse.

inhabité, *adj.*, uninhabited.

innocent, *adj.*, innocent.

inquiet, *adj.*, uneasy, anxious.

inquiétude, *n. f.*, uneasiness, anxiety.

insaisissable, *adj.*, impossible to seize, impalpable.

insignes, *n. m. plur.*, insignia.

insolent, *adj.*, insolent.

insomnie, *n. f.*, sleeplessness ; *pl.* sleepless hours.

inspiration, *n. f.*, inspiration.

installation, *n. f.*, settling down, taking up one's quarters, setting up.

installer, *v. tr.*, to settle; **s'—,** to settle down.

intention, *n. f.*, intention; **à votre —,** for you, for your sake.

interdit, *adj.*, taken aback, abashed.

intéresser, *v. tr.*, to interest.

intérêt, *n. m.*, interest.

intérieur, *adj.* & *n. m.*, interior; **à l'—,** inside.

interminable, *adj.*, endless.

interrogatoire, *n. m.*, cross-examination.

interrompre, *v. tr.*, to interrupt; **s'—,** to break off.

intimider, *v. tr.*, to make shy; **s'—,** to become shy, lose confidence.

intrigant, *n. m.*, schemer, plotter.

intrigue, *n. f.*, scheming, plot.

inventaire, *n. m.*, inventory.

inventer, *v. tr.*, to invent, make up.

inventeur, *n. m.*, inventor.

invention, *n. f.*, invention, making up, idea.

invisible, *adj.*, invisible, unseen.

invoquer, *v. tr.*, to invoke, call upon.

irrégulièrement, *adv.*, irregularly.

irrévérencieux, *adj.*, irreverent.

isolé, *p. p.* & *adj.*, isolated, detached.

ivre, *adj.*, intoxicated, drunk.

jaillir, *v. intr.*, to leap out, jut forth.

jamais, *adv.*, ever; **ne... —,** never.

jambe, *n. f.*, leg.

jaquette, *n. f.*, jacket.

jardin, *n. m.*, garden.

jardiner, *v. intr.*, to work in the garden.

jardinet, *n. m.*, little garden.

jarre, *n. f.*, jar.

jaser, *v. intr.*, to chatter, gossip.

jaune, *adj.*, yellow.

jeter, *v. tr.*, to throw, cast; **— à bas,** to pull down.

jeu, *n. m.*, game.

jeun (à), *adv.*, fasting; **être à —,** to be fasting.

jeune, *adj.*, young.

jeûne, *n. m.*, fasting.

jeunesse, *n f.*, youth, young people.

joie, *n. f.*, joy; **feu de —,** bonfire.

joindre, *v. tr.*, to join, clasp.

joli, *adj.*, pretty.

joncher, *v. tr.*, to strew.

joue, *n. f.*, cheek.

jouer, *v. tr.* & *intr.*, to play.

joueur, *n. m.*, player; **— de fifre,** fifer.

jour, *n. m.*, day, daylight; **au petit —,** at dawn; **de — en —,** day by day.

journal, *n. m.*, newspaper.

journalier, *n. m.*, day-labourer.

journée, *n. f.*, day.

joyeusement, *adv.*, joyfully, merrily, gaily.

juge, *n. m.*, judge.

juger, *v. tr.* & *intr.*, to judge.

juillet, *n. m.*, July.

jupe, *n. f.*, skirt.

jurer, *v. tr.*, to swear; **juron,** *n. m.*, oath.

jusqu'à, *prep.*, till, up to, as far as; **— ce que,** *conj.*, until, till; **jusqu'ici,** as far as here, till now.

juste, *adv.*, just, exactly; **tout —,** as it happens.

justement, *adv.*, exactly, as it happened.

justice, *n. f.*, justice.

là, *adv.*, there; **là-bas,** yonder, over there; **là-haut,** up there; **là-dessus,** thereupon; **par là-dessus,** above all that; **là-dessous,** under it.

lâcher, *v. tr.*, to let go, release.

lactée, *adj.*; **la voie —,** the Milky Way.

lai, *adj.*, lay.

laid, *adj.*, ugly, plain.

laine, *n. f.*, wool.

laisser, *v. tr.*, to leave, let, allow.

lait, *n. m.*, milk.

lambeau, *n. m.*, shred, rag.

lambris, *n. m.*, wainscoting, panelling.

lambrusque, *n. f.*, wild-vine.

lame, *n. f.*, blade, wave, billow.

lamenter, *v. tr.* & *intr.*, to lament, bewail; **se —,** to lament.

lamentation, *n. f.*, lament, lamentation.

lampe, *n. f.*, lamp.

langue, *n. f.*, tongue.

languir; se —, to weary; se —- de, to pine for.

lansquenet, *n. m.*, lansquenet, pikeman.

lanterne, *n. f.*, lantern.

laper, *v. tr.*, to lap, lap up.

lapidaire, *n. m.*, lapidary, worker in precious stones.

lapin, *n. m.*, rabbit.

large, *adj.*, wide, broad, large; au —, out at sea, in the offing; du —, space.

largement, *adv.*, liberally.

larme, *n. f.*, tear.

las, lasse, *adj.*, tired, weary.

lasser, *v. tr.*, to tire, weary.

lavande, *n. f.*, lavender.

laver, *v. tr.*, to wash; *p. p.*, lavé, washed, cleaned (by rain).

lazaret, *n. m.*, lazaretto (quarantine house).

lecteur, *n. m.*, reader.

lecture, *n. f.*, reading.

ledit, *adj.*, the aforesaid.

légende, *n. f.*, legend, story.

légendaire, *n. m.*, book *or* collection of legends, a legendary.

léger, *adj.*, light, slight.

légèrement, *adv.*, lightly, slightly.

lendemain, *n. m.*, next day.

lentement, *adv.*, slowly.

lentille, *n. f.*, lens.

lentisque, *n. m.*, lentisk, mastic-tree.

lépreux, *adj.*, leprous, scorbutic, scurvy.

lequel, *rel. pron.*, who.

lettre, *n. f.*, letter.

lever, *v. tr.*, to raise; se —, to rise, get up.

lèvre, *n. f.*, lip.

lézard, *n. m.*, lizard.

liaison, *n. f.*, connection, love-affair.

liberté, *n. f.*, liberty, freedom.

libre, *adj.*, free.

librement, *adv.*, freely.

lice, *n. f.*, lists, ring, barrier.

lieu, *n. m.*, place; avoir —, to take place.

lieudit, *n. m.*, place styled (legal).

lieue, *n. f.*, league (2-3 miles).

ligne, *n. f.*, line.

limonade, *n. f.*, lemonade.

linge, *n. m.*, linen.

lippu, *adj.*, full-lipped, thick-lipped.

liqueur, *n. f.*, liquor.

lire, *v. tr.*, to read.

lit, *n. m.*, bed.

litanie, *n. f.*, litany.

livre, *n. m.*, book; le grand — du phare, the lighthouse log.

locataire, *n. m. & f.*, lodger, tenant.

loger, *v. tr. & intr.*, to lodge, stay.

logette, *n. f.*, little lodging, cell.

logis, *n. m.*, house, home, lodging.

loin, *adv.*; au —, in the distance, far away; de —, at *or* from a distance; de — en —, at long intervals.

lointain, *adj.*, distant; *n. m.*, distance; au — = au loin.

long, *adj.*, long; le — de, along; de — en large, to and fro; plus — farther, more.

longe, *n. f.*, tether.

longer, *v. tr.*, to skirt.

longtemps, *adv.*, a long time.

longue, *adj.* (*f.* of long); à la —, in the long run.

longuement, *adv.*, at (great) length.

loquet, *n. m.*, latch.

lorsque, *conj.*, when.

louange, *n. f.*, praise.

louer, *v. tr.*, to rent, let, hire.

loup, *n. m.*, wolf.

lourd, *adj.*, heavy.

lourdement, *adv.*, heavily, clumsily.

loyal, *adj.*, loyal.

lucarne, *n. f.*, dormer- *or* garret-window.

lueur, *n. f.*, gleam, glare.

lugubre, *adj.*, dismal.

lui-même, *pers. pron.*, (he) himself.

luire, *v. intr.*, to gleam, glisten.

luisant, *adj.*, gleaming, shining, sleek.

lumière, *n. f.*, light.

lumineux, *adj.*, luminous.

luthier, *n. m.*, lute-maker, maker of stringed instruments.

lutin, *n. m.*, elf.

lutter, *v. intr.,* to struggle, wrestle.
lyrique, *adj.,* lyric, lyrical.

mâchonner, *v. tr.,* to chew, munch.
maçonnerie. *n. f.,* masonry.
macreuse, *n. f.,* scoter, sea-coot (kind of duck).
magie, *n. f.,* magic.
magnan (*local word*), *n. m.,* silkworm.
magnanerie, *n. f.,* silkworm-house.
maigre, *adj.,* thin, lean.
maigrir, *v. intr.,* to become thin *or* lean.
main, *n. f.,* hand.
maintenant, *adv.,* now ; — **que,** now that.
mairie, *n. f.,* town- *or* council-house.
mais, *conj.,* but ; — **oui,** oh yes ; and that too.
maison, *n. f.,* house.
maisonnette, *n. f.,* cottage.
maître, *n. m.,* master.
maître-autel, *n. m.,* high-altar.
maîtresse, *n. f.,* mistress ; **une — chèvre,** a masterful goat, a fine strong goat.
maîtrise, *n. f.,* singing-school (for choristers).
majestueusement, *adv.,* majestically, in state.
majordome, *n. m.,* majordomo, house steward.
mal, male, *adj.* (now found only in a few expressions) ; **de male rage,** in an evil temper, furiously angry.
malade, *adj.,* sick, ill, diseased.
male rage. See **mal.**
malgré, *prep.,* in spite of.
malheur, *n. m.,* misfortune, calamity.
malheureusement, *adv.,* unhappily, unfortunately.
malheureux, *adj.,* unhappy, unfortunate, foolish.
malhonnêtement, *adv.,* rudely.
malice, *n. f.,* mischief, slyness, sly jest ; **entendre —,** to mean harm.
malin, maligne, *adj.,* mischievous, sly, cute.
malsain, *adj.,* unhealthy.
manche, *n. f.,* sleeve.

manège, *n. m.,* performance.
mangeoire, *n. f.,* manger, crib.
manger, *v. tr.,* to eat, eat away.
manière, *n. f.,* manner, fashion, way ; **bonnes manières,** marks of respect.
manœuvre, *n. f.,* handling (*e.g.* of ship).
manquer, *v. tr. & intr.,* to miss, be lacking ; — **de,** to lack, to fail to ; **la caserne nous manque,** we are missing the barracks.
mante, *n. f.,* mantle.
manteau, *n. m.,* mantle, cloak.
manufacture, *n. f.,* manufacture, factory.
manuscrit, *n. m.,* manuscript.
maquis, *n. m.,* bush, thicket (*esp.* of Corsica).
marbre, *n. m.,* marble.
marche, *n. f.,* step ; march, walking.
marché, *n. m.,* market.
marcher, *v. intr.,* to walk.
marguillier, *n. m.,* churchwarden.
mari, *n. m.,* husband.
mariage, *n. m.,* marriage.
marier, *v. tr.,* to give in marriage, marry (of parent *or* priest) ; **se —,** to marry (of bride *or* bridegroom).
marin, *n. m.,* seaman, sailor.
marjolaine, *n. f.,* marjoram.
marmite, *n. f.,* pot, gipsy-kettle.
marmiton, *n. m.,* kitchen-boy, scullion.
marquer, *v. tr.,* to mark ; — **le pas,** to beat *or* keep time.
marri, *adj.,* contrite.
marteau, *n. m.,* hammer ; **perruque à —,** a wig with short, thick tail
martyre, *n. m.,* martyrdom.
mas (*Provençal*), *n. m.,* farm.
massif, *n. m.,* clump, grove, group.
masure, *n. f.,* dilapidated house, ruin.
mat, *adj.,* unpolished, dull.
matelot, *n. m.,* (ordinary) sailor.
maternel, *adj.,* maternal, mother ; **sa langue maternelle,** his mother-tongue.
matin, *n. m.,* morning ; **de si grand —,** so early in the morning.
matinée, *n. f.,* (space of) morning.
matines, *n. f. plur.,* matins.

maudit, *adj.*, accursed, wretched.

maugréer, *v. intr.*, to grumble.

maussade, *adj.*, surly, sulky.

mauvais, *adj.*, bad, cruel, poor ; (of sea) rough.

méchamment, *adv.*, wickedly, spitefully, cruelly.

méchant, *adj.*, bad, wicked, spiteful, ill-natured.

mèche, *n. f.*, wick, match (of cannon) ; wisp.

mécontenter, *v. tr.*, to displease, disappoint.

médecin, *n. m.*, doctor.

méfier ; se — de, to distrust, beware of.

mélancolique, *adj.*, sad, melancholy.

mélanger, *v. tr.*, to mix.

mêler, *v. tr.*, to mix, mingle ; se — de, to meddl with.

même, *adj.*, same ; *adv.*, very, even ; tout de —, all the same.

ménager (*local word*), *n. m.*, small farmer, peasant, husbandman.

mener, *v. tr.*, to lead, take, bring ; — la danse, to lead the dance

mentir, *v. intr.*, to lie, tell a falsehood, exaggerate.

menu, *adj.*, minute, trifling.

mépris. *n. m.*, scorn, contempt.

mer, *n. f.*, sea ; en pleine —, out at sea, on the open sea.

merci, *n. m.*, thanks.

merle, *n. m.*, blackbird.

merveilleux, *adj.*, wonderful, marvellous.

messe. *n. f.*, mass, service ; être à la —, to be at church.

mesure, *n. f.*, measure ; à — que, (in proportion) as ; battre la —, to beat time.

métairie, *n. f.*, farm.

métal, *n m.*, metal.

metayer, *n. m.*, farmer.

métier, *n. m.*, loom ; trade.

mettre, *v. tr.*, to set, put ; se — à, to proceed to, set to work ; — en miettes, to break in pieces ; se — à table, to sit down to table ; mettons, let's say.

meule, *n. f.*, mill-stone ; hay-cock, stook.

meunerie, *n. f.*, milling.

meunier, *n. m.*, miller.

meunière, *n. f.*, miller's wife.

miarro (*local*), *n. m.*, lad.

micocoulier, *n. m.*, nettle-tree.

microscopique, *adj.*, microscopic, tiny.

midi, *n. m.*, midday, noon, South.

mie, *n. f.*, sweetheart ; sa mie = s'amie, son amie.

mien, *poss. pron.*, mine.

miette, *n. f.*, crumb, morsel.

mieux, *adv.*, better ; le —, best ; de mon —, as best I could ; aimer —, to prefer.

mignon, *adj.*, dear, dainty.

milieu, *n. m.*, middle, midst ; au beau —, right in the middle.

mille, *adj.*, (a) thousand.

millier, *n. m.*, thousand.

mine, *n. f.*, mien, air, appearance, looks ; faire — de, to pretend or seem to.

ministère, *n. m.*, ministry.

ministre, *n. m.*, minister ; papier —, official paper.

minoterie, *n f.*, (steam) flour-mill.

minotier, *n. m.*, flour-miller.

minuit, *n. m.*, midnight.

minute, *n. f.*, minute.

minutieux, *adj.*, minute, very particular.

miraculeux, *adj.*, miraculous.

miroitement, *n. m.*, reflection, glitter.

misérable, *adj.*, wretched.

misère, *n. f.*, wretchedness, poverty.

miséricorde ! *n. f.*, mercy ! goodness gracious !

mistral, *n. m.*, the mistral, a strong wind that blows down the valley of the Rhone.

mitre, *n. f.*, mitre.

mode, *n. f.*, fashion.

mœurs, *n. f. pl.*, customs, character.

moindre, *adj.*, less ; le —, the least.

moine, *n. m.*, monk.

moinette, *n. f.*, little nun.

moinillon, *n. m.*, a little or young monk.

moins, *adv.*, less; **le —**, the least; **au —**, at least.

mois, *n. m.*, month.

moisson, *n. f.*, harvest.

moitié, *n. f.*, half; **à —**, *adv.*, half.

moment, *n. m.*, moment; **par moments**, now and again.

monastère, *n. m.*, monastery.

monde, *n. m.*, world; people, company, society; **au —**, in the world; **tout le —**, everybody.

monotone, *adj.*, monotonous.

monseigneur, *n. m.*, my Lord.

monstre, *n. m.*, monster.

montagne, *n. f.*, mountain.

monter, *v. tr. & intr.*, to rise, mount; go *or* come up, get up, climb; bring *or* take up; *p. p.*, **monté**, mounted; stocked.

montrer, *v. tr.*, to show, display.

moquer, *v. tr.*, to mock; **se — de**, to make a fool of, care nothing for.

morceau, *n. m.*, piece, bit; **s'en aller en morceaux**, to fall to pieces.

mordre, *v. tr.*, to bite; **bien mordu**, badly hit.

morne, *adj.*, mournful, gloomy, dismal.

mort, *n. f.*, death; **à la —**, (*lit.* to the death) with a vengeance.

mort, *p. p* of *mourir*, dead; **un —**, a dead man.

mot, *n. m.*, word.

motus! = **mot** (*with Latin termination*), not a word about it!

mouche, *n. f.*, fly.

moucheté, *adj.*, speckled, dappled.

mouchoir, *n. m.*, handkerchief.

moudre, *v. tr.*, to grind.

mouette, *n. f.*, sea-gull, sea-mew.

mouiller, *v. tr.*, to wet, soak, drench.

mouillure, *n. f.*, wet, damp.

moulin, *n. m.*, mill (*esp.* windmill)

moulu, *p. p.* of *moudre*, ground.

mourir, *v. intr.*, to die.

mousse, *n. m.*, cabin-boy

mousse, *n. f.*, moss.

moustache, *n. f.*, moustache.

moût, *n. m.*, (unfermented) grape juice; must.

moutardier, *n. m.*, mustard-maker.

mouton, *n. m.*, sheep.

mouvement, *n m.*, movement, motion, stir.

moyen, *n. m.*, means, way; **pas —**, no use trying to.

moyennant, *prep.*, for (a consideration of).

mugir, *v. intr.*, to low (of cattle).

mule, *n. f.*, *mulet*, *n. m.*, mule.

multiple, *adj.*, manifold.

municipal, *adj.*; **conseiller —** town-councillor.

mur, *n. m.*, wall.

muraille, *n. f.*, wall.

murmure, *n. m.*, murmur.

muscat, *n. m.*, muscatel (wine).

musicien, *n. m.*, musician.

musique, *n. f.*, music, band.

mutilé, *p. p.*, mutilated.

myrte, *n. m.*, myrtle.

mystère, *n. m.*, mystery.

mystérieux, *adj.*, mysterious

nacre, *n. f.*, mother-of-pearl.

nager, *v. intr.*, to swim; **nageant des pattes**, waving its legs wildly.

naïf, *adj.*, naive, simple, ingenuous.

naïvement, *adv.*, naively, ingenuously.

napolitain, *adj.*, Neapolitan (belonging to Naples).

nappe, *n. f.*, table-cloth.

narine, *n. f.*, nostril.

naturel, -elle, *adj.*, natural.

naturellement, *adv.*, naturally.

naufrage, *n. m*, shipwreck; **faire —**, to be wrecked.

navette, *n. f.*, shuttle.

navire, *n. m.*, ship.

navrant, *adj.*, heart-breaking, tragic.

navré, *p. p. & adj.*, heart-broken.

ne, *neg. adv*; **ne... que**, only; **ne... plus**, no longer, no more.

né, *p. p.* of *naître*, born.

nécessaire, *adj.*, necessary.

nécroman, *n. m.*, necromancer, wizard.

nef, *n. f.*, nave.

neige, *n. f.*, snow.

neuf, neuve, *adj.*, new; **tout neuf**, brand new.

neveu, *n. m.*, nephew.

nez, *n. m.*, nose.
ni, *conj.*, neither, nor.
niais, *adj.*, silly, booby.
niche, *n. f.*, kennel; niche, recess.
noble, *adj.*, noble.
noce, *n. f.*, wedding, marriage.
Noël, *n. m.* & *f.*, Christmas.
nœud, *n. m.*, knot, bow.
noir, *adj.*, black, dark; il fait —, it is
dark.
noisette, *n. f.*, nut (hazel).
nom, *n. m.*, name.
nombreux, *adj.*, numerous.
nommer, *v. tr.*, to name, call.
nonobstant, *prep.*, notwithstanding.
nostalgie, *n. f.*, home-sickness.
notaire, *n. m.*, notary, lawyer.
notre, *adj.*, our; nôtre, *pron.*, ours.
nourrir, *v. tr.*, to feed, keep.
nourrisson, *n. m.*, nursling, youngling.
nouveau, nouvelle, *adj.*, new; de
nouveau, anew, again, afresh.
nouvelle, *n. f.*, (item of) news; *pl.*,
news.
novice, *n. m.* & *f.*, novice, tyro.
noyau, *n. m.*, kernel, stone (of fruit).
noyer, *v. tr.*, to drown; se —, to be
drowned; noyé de brume, shrouded
in mist.
nu, *adj.*, naked, bare, stripped.
nuit, *n. f.*, night, darkness.
nullement, *adv.*, not at all, in no way.

obéir, *v. intr.*, to obey.
obliger, *v. tr.*, to oblige, compel.
observation, *n. f.*, observation, remark.
occasion, *n. f.*, occasion, chance, op-
portunity.
occuper; s'— de, to busy oneself
with; occupé, busy, engaged.
odeur, *n. f.*, odour, scent, smell.
odorant, *adj.*, scented, odorous.
œil, *n. m.* (*pl.* yeux), eye.
œuf, *n. m.*, egg.
œuvre, *n. f.*, work.
office, *n. m.*, office; (church) service.
officiant, *n. m.*, officiating priest.
offrir, *v. tr.*, to offer.
ogive, *n. f.*, pointed arch; en —,
arched.

oiseau, *n. m.*, bird.
olivade (*local*), *n. f.*, olive-harvest.
olive, *n. f.*, olive.
olivier, *n. m.*, olive-tree.
ombre, *n. f.*, shade, shadow, darkness
onde, *n. f.*, wave.
ondé, *adj.*, waved.
onduler, *v. tr.* & *intr.*, to wave, un-
dulate.
onze, *adj.*, eleven.
opération, *n. f.*, operation.
opérer, *v. tr.*, to operate, work.
opposé, *p. p.* & *adj.*, opposed, opposite.
or, *n. m.*, gold; d'—, golden.
or, *conj.*, now.
orage, *n. m.*, thunder-storm, storm.
oraison, *n. f.*, prayer.
oranger, *n. m.*, orange-tree.
oratoire, *n. m.*, oratory.
ordinaire, *adj.*, ordinary, usual; d'—,
usually.
ordination, *n. f.*, ordination.
oreille, *n. f.*, ear.
oreiller, *n. m.*, pillow.
organiser, *v. tr.*, to organize, arrange.
orgue, *n. m.*, organ.
orgueil, *n. m.*, pride.
orient, *n. m.*, East.
orme, *n. m.*, elm.
ormeau, *n. m.*, (young) elm.
orphelin, -ine, *adj.* & *n.*, orphan.
orphelinat, *n. m.*, orphanage.
oser, *v. tr.*, to dare.
osier, *n. m.*, wicker-work.
ostensoir, *n. m.*, monstrance, osten-
sory.
ouaille, *n. f.*, sheep; *pl.*, flock.
oublier, *v. tr.* & *intr.*, to forget.
ourdisseuse, *n. f.*, weaver, spinster.
ourlet, *n. m.*, hem, fringe.
Ourse, *n. f.*, the Bear (constellation).
outre, *n. f.*, wine- *or* water-bottle, skin.
ouvert, *p. p.* of *ouvrir*, open, frank.
ouverture, *n. f.*, opening; me faire
l'—, to open for me.
ouvrage, *n. m.*, work.
ouvragé, *p. p.* & *adj.*, worked, carved.
ouvrier, *n. m.*, workman.
ouvrir, *v tr.*, to open; *p. p.*, ouvert.

page, *n. m.*, page (boy).

page, *n. f.*, page (of book).

païen, *adj. & n. m.*, pagan, heathen.

paille, *n. m.*, straw.

paillette, *n. f.*, spangle, bright speck.

paisible, *adj.*, peaceful, calm.

paix, *n. f.*, peace.

palais, *n. m.*, palace.

pâle, *adj.*, pale.

palefrenier, *n. m.*, stable-boy, groom.

pâlir, *v. intr.*, to turn *or* grow pale.

palissade, *n. f.*, paling.

palme, *n. f.*, palm.

pan, *n. m.*, stretch (*e.g.* of wall), tail (of coat).

panache, *n. m.*, plume.

panier, *n. m.*, basket, pannier.

panique, *adj. & n. f.*, panic.

panneau, *n. m.*, panel.

paon, *n. m.*, peacock.

papal, *adj.*, papal, belonging to pope.

pape, *n. m.*, pope.

papier, *n. m.*, paper.

paquebot. *n. m.*, steamer, liner.

Pâques, *n. m.*, Easter.

par, *prep.*, by, along ; — **ici,** this way ; — **là,** that way, over there ; used when weather is described, *e.g.* — **un beau jour d'été,** one fine summer day ; — **deux fois,** twice.

paradis, *n. m.*, paradise.

parage, *n. m.* ; **dans ces parages,** in these waters.

paraître, *v. intr.*, to appear, seem ; to be published.

par-ci, par-là, *adv.*, here and there, now and again.

par-dessus, *adv.*, above, away over.

parbleu! *interj.*, by Jove! or course, etc.

parc, *n. m.*, sheepfold.

par-devant, *prep.*, in front of, in presence of.

pareil, -eille, *adj. & n.*, such, like.

parer, *v. tr.*, to dress up, adorn.

paresseux, *adj.*, lazy.

parfum, *n. m.*, perfume, scent.

parfumé, *p. p. & adj.*, scented.

parfumer, *v. tr.*, to perfume, scent.

parlement, *n. m.*, parliament = high court of justice.

parler, *v. intr.*, to speak.

parmi, *prep.*, among, amidst.

paroi, *n. f.*, inner wall, side *or* face.

paroissien, *n. m.*, parishioner ; prayer-book.

parole, *n. f.*, word, speech.

part, *n. f.*, share ; **de ma—,** from me ; **quelque —,** somewhere, anywhere.

parti, *n. m.*, party, side ; **du — de,** on the side of.

partie, *n. f.*, part, party, game ; **faire une —,** to play a game.

partir, *v. intr.*, to set out, start, rise ; break off, go ; **à — de,** from.

partout, *adv.*, everywhere, on every side.

parut, *3rd sing. p. hist.* of *paraître.*

parvenir à, *v. intr.*, to arrive at, manage, succeed.

pas, *n. m.*, step, threshold.

passage, *n. m.*, passage ; **au —, sur son —,** as it (he, she) passed.

passementer, *v. tr.*, to braid, trim.

passe! (*juggler's term*), away ! pass !

passé, *p. p.*, past ; **le —,** the past (time).

passer, *v. tr. & intr.*, to pass through *or* over, cross ; spend ; stick out *or* over ; **se —,** to take place, happen ; **— pour,** to be considered as ; **en — par là,** to yield, give in.

passereau, *n. m.*, sparrow, small bird.

passion, *n. f.*, passion, passionate love.

pastèque, *n. f.*, water-melon.

pastoral, *adj.*, pastoral.

patati patata, and so on and so on.

patenôtre, *n. f.*, paternoster, prayer.

pater noster (*Latin*), Lord's prayer.

patois, *n. m.*, dialect.

pâtre, *n. m.*, shepherd.

patron, *n. m.*, skipper, captain ; patron saint.

patte, *n. f.*, paw, leg, foot.

pâturage, *n. m.*, pasturage.

pâture, *n. f.*, pasture, food ; **a living.**

paupière, *n. f.*, eyelid.

pauvre, *adj.*, poor.

pauvrette, *n. f.*, poor little thing.

pavé, *n. m.*, paving-stone, paved street.

pavoiser, *v. tr.*, to deck with flags, beflag.

payer, *v. tr.,* to pay.

pays, *n. m.,* land, country, district.

paysage, *n. m.,* landscape.

paysan, *n. m.,* peasant.

peau, *n. f.,* skin.

péca re ! (*local*)*. exclam.,* bless me !

péché, *n. m.,* sin.

pêche, *n. f.,* fishing.

pêcher, *v. tr.,* to fish.

pêcheur, *n. m.,* fisherman.

peine, *n. f.,* trouble, pains ; **ce n'est pas la —,** it isn't worth while ; **à —,** scarcely, hardly, it is all if ; **à grand'—,** with difficulty ; **faire — à,** to hurt, grieve.

peiner, *v. intr.,* to labour ; **— fort,** to labour diligently.

peint, *p. p.* of *peindre,* painted.

pelé, *p. p. & adj.,* bare, bald.

pêle-mêle, *adv.,* helter-skelter, in confusion.

pèlerinage, *n. m.,* pilgrimage.

pèlerine, *n. f.,* cape, tippet.

pencher, *v. tr.,* to hang, incline ; **se —,** to bend, lean ; *p. p.,* **penché,** leaning, bending.

pendant, *prep.,* during ; **— que,** *conj.,* while.

pendre, *v. tr. & intr.,* to hang.

pendule, *n. f.,* clock.

pénétrer, *v. tr.,* to penetrate, pierce, come *or* go in.

péniblement, *adv.,* painfully, laboriously, sluggishly, with difficulty.

pénitent, *n. m.,* penitent. See p. 136.

pensée, *n. f.,* thought.

penser, *v. tr. & intr.,* to think ; **— à,** to think of.

penseur, *n. m.,* thinker, philosopher.

pensif, *adj.,* thoughtful, pensive.

pensionnaire, *n. m. & f.,* boarder.

pente, *n. f.,* slope ; **en —,** sloping.

percer, *v. tr.,* to pierce.

percher, *v. intr.,* to perch.

perchoir, *n. m.,* perch.

perdre, *v. tr. & intr.,* to lose.

perdreau, *n. m.,* partridge.

père, *n. m.,* father.

péril, *n. m.,* peril, danger.

péripétie, *n. f.,* incident, vicissitude.

périr, *v. intr.,* to perish, be lost.

perle, *n. f.,* pearl, pearly drop ; **faire la —,** to pearl (form pearly drops).

permettre, *v. tr.,* to permit.

perron, *n. m.,* stone staircase (outside).

perruque, *n. f.,* wig.

personne, *n. f.,* person.

personne, *pron. m.,* anybody, nobody ; **ne... —,** nobody.

perte, *n. f.,* loss ; **à — de vue,** far as the eye can reach.

pertuisane, *n. f.,* halberd.

pèse-liqueur, *n. m.,* hydrometer.

peser, *v. tr.,* to weigh.

pétard, *n. m.,* cracker.

pétiller, *v. intr.,* to sparkle.

petit, *adj.,* small, little.

petite-fille, *n. f.,* granddaughter.

peu, *adv.,* little ; **un —,** a little, just ; **— à —,** little by little, gradually.

peuple, *n. m.,* people, common people.

peur, *n. f.,* fear ; **avoir —,** to be afraid ; **de — de,** for fear of ; **de — que,** in case.

peut-être, *adv.,* perhaps.

phare, *n. m.,* lighthouse.

photographie, *n. f.,* photograph.

pic, *n. m.,* peak ; **à —,** precipitously, steeply.

picholine, *n. f.* ; **à la —,** pickled (of olives).

picorer, *v. tr. & intr.,* to peck.

pièce, *n. f.,* piece ; room.

pied, *n. m.,* foot ; **sur —,** afoot, up and about ; **le — sur,** sure-footed ; **mettre sur —,** to set up.

pierre, *n. f.,* stone.

piétiner, *v. tr. & intr.,* to trample, patter.

pieu, *n. m.,* stake.

pigeon, *n. m.,* pigeon.

pigeonnier, *n. m.,* pigeon-house, dovecote.

pile, *n. m.,* pile.

pin, *n. m.,* pine (-tree).

pintade, *n. f.,* guinea fowl.

pipe, *n. f.,* pipe.

pique, *n. f.* **dame de —,** queen of spades (cards).

piquette, *n. f.,* thin wine.

pis, *adv.*, worse ; **tant —**, so much the worse.

pitié, *n. f*, pity ; **c'est —**, it is pitiful, is a shame.

pitoyable, *adj.*, pitiful, wretched.

pittoresque, *adj.*, picturesque.

pivert, *n. m.*, woodpecker.

pivoter, *v. intr.*, to revolve, turn (on a pivot).

place, *n. f.*, place, post, square ; **à leur —**, in their place.

plafond, *n. m.*, ceiling.

plafonner, *v. tr.*, to ceil (lathe and plaster a ceiling).

plaine, *n. f.*, plain.

plainte, *n. f.*, plaint, wail.

plaintif, *adj.*, plaintive.

plaire, *v. intr.*, to please ; **cet homme me plaît**, I like that man ; **s'il vous plaît**, please.

plaisanterie, *n. f.*, joke.

plaisir, *n. m.*, pleasure, amusement.

planche, *n. f.*, plank, shelf.

plante, *n. f.*, plant.

planté, *p. p.*, planted ; stock-still.

plat, *adj.*, flat.

plateau, *n. m.*, plateau.

plate-forme, *n. f.*, platform.

plâtras, *n. m.*, old *or* fallen plaster.

plâtre, *n. m.*, plaster.

plein, *adj.*, full.

plénier, *adj.*, plenary, complete, full.

pleurer, *v. tr. & intr.*, to weep (for), cry.

pleuvoir, *v. intr.*, to rain.

pliant, *n. m.*, folding-stool, camp-stool.

plomb, *n. m.*, lead.

plonger, *v. intr.*, to plunge, dive.

pluie, *n. f.*, rain.

plume, *n. f.*, feather.

plus, *adv.*, more ; **le —**, most ; **ne —**, no more, no longer ; **ne — que**, now only ; **— de !** no more ! **de — en —**, more and more ; **non —**, either ; **— de**, *prep.*, more than.

plutôt, *adv.*, rather ; **voyons —**, just let us see.

pluvieux, *adj.*, rainy.

poche, *n. f.*, pocket.

poème, *n. m.*, poem.

poésie, *n. f.*, poetry, romance.

poète, *n. m.*, poet.

poids, *n. m.*, weight.

poignée, *n. f.*, handful ; hilt.

poil, *n. m.*, hair, coat (of animal).

poing, *n. m.*, fist, clenched hand.

pointe, *n. f.*, (sharp) point, peak.

poisser, *v. intr.*, to stick, be clammy.

poisson, *n. m.*, fish.

poitrine, *n. f.*, breast.

polaire, *adj.*, polar ; **l'étoile — the Pole star.

poliment, *adv.*, politely.

polir, *v. tr.*, to polish.

pommette, *n. f.*, cheek-bone, cheek.

pompon, *n. m.*, tuft, top-knot.

pont, *n. m.*, bridge ; deck.

ponté ; **à demi —**, half-decked.

pontife, *n. m.*, pontiff.

populaire, *adj.*, popular.

porc, *n. m.*, pig.

port, *n. m.*, harbour.

portail, *n. m.*, big door *or* gate.

porte-bannière, *n. m.*, banner-bearer.

porter, *v. tr.*, to carry, wear.

porte-voix, *n. m.*, speaking-trumpet.

portrait, *n. m.*, portrait.

poser, *v. tr.*, to place, lay down ; **se —**, to alight.

possédé, *p. p. & adj.*, possessed (by the Evil One).

possession, *n. f.*, possession, madness.

poster, *v. tr.*, to post, place.

postillon, *n. m.*, postilion, post-boy.

pot, *n. m.*, pot, jug.

poteau, *n. m.*, post.

poudre, *n. f.*, powder.

poudroyer, *v. intr.*, to shimmer (with dust), shine dusty.

poulailler, *n. m.*, hen-house.

poule, *n. f.*, hen.

poulie, *n. f.*, pulley.

pour, *prep.*, for ; **— que**, *conj.*, in order that.

pourpoint, *n. m.*, doublet.

pourpre, *n. m. & adj.*, purple.

pourrir, *v. intr.*, to rot.

poursuivre, *v. tr.*, to pursue, follow.

pourtant, *adv.*, however, nevertheless.

pourvu que, *conj.*, provided that, if only

pousser, *v. tr.* & *intr.*, to push, drive ; grow up, sprout ; utter.

poussière, *n. f.*, dust, spray.

pouvoir, *v. tr.* & *intr.*, to be able.

pratique, *n. f.*, custom, customer.

pré, *n. m.*, meadow.

préau, *n. m.*, yard, play-ground, re-creation-ground (surrounded by cloisters).

précaution, *n. f.*, caution.

précieux, *adj.*, precious.

précipiter ; **se —**, to rush headlong.

précisément, *adv.*, exactly, precisely.

préférer, *v. tr.*, to prefer.

premier, *adj.*, first ; *n. m.*, first storey (*étage*) ; **première** (*représentation*), *n. f.*, first-night (of a play).

prendre, *v. tr.*, to take, catch ; **— le soleil**, to sun oneself.

préoccuper, *v. tr.*, to preoccupy, engross (the attention of).

préparer, *v. tr.*, to prepare, get ready.

près (*adv.*), **près de** (*prep.*), near ; **tout près**, quite near ; **de si près**, (from) so near at hand.

presbytère, *n. m.*, parsonage, vicarage.

présence, *n. f.*, presence.

présenter, *v. tr.*, to introduce ; **se —**, to present oneself, appear.

présentes (*lettres*), *n. f. pl.*, presents (*legal*).

presque, *adv.*, almost, nearly.

pressé, *p. p.*, in a hurry.

presser, *v. tr.*, to hurry ; **se —**, to be in a hurry ; to huddle together.

prestance, *n. f.*, fine presence.

prêt, *adj.*, ready.

prétendre, *v. tr.* & *intr.*, to claim, mean to.

prêter, *v. tr.*, to lend.

prêtre, *n. m.*, priest.

preuve, *n. f.*, proof.

prévenance, *n. f.*, attention, kind office.

prévenir, *v. tr.*, to inform, warn, pre-vent ; *p. p.*, **prévenu**, warned.

prier, *v. tr.*, to pray (to).

prière, *n. f.*, prayer.

prieur, *n. m.*, prior.

principalement, *adv.*, principally.

principe, *n. m.*, principle ; **dans le —**, to begin with, at bottom.

pris, *p. p.* of *prendre*.

prison, *n. f.*, prison.

privation, *n. f.*, hardship, privation.

privilège, *n. m.*, privilege.

prix, *n. m.*, prize, price, cost ; **à tout —**, at any price *or* cost.

procession, *n. f.*, (religious) procession.

prodigieux, *adj.*, prodigious, astonish-ing.

produire, *v. tr.*, to produce, cause.

profaner, *v. tr.*, to profane.

profond, *adj.*, profound, deep.

promenade, *n. f.*, walk, ride, etc.

promener *v. tr.*, to take about ; **se —**, to take a walk, ride, drive, sail.

promettre, *v. tr.*, to promise.

prononcer, *v. tr.*, to pronounce, utter.

propos, *n. m.*, word ; **à —**, by the bye.

prosterner, *v. tr.*, to bow, prostrate.

protéger, *v. tr.*, to protect.

prouver, *v. tr.*, to prove.

provision, *n. f.*, provision.

psalmodier, *v. tr.*, to intone, chant.

psaume, *n. m.*, psalm.

puis, *adv.*, then, afterwards, besides.

puisque, *conj.*, since.

puissant, *adj.*, powerful.

puits, *n. m.*, well.

punir, *v. tr.*, to punish.

qualité, *n. f.*, quality ; **en — de**, in the capacity of, as.

quant à, as for.

quarante, *adj.*, forty.

quart, *n. m.*, quarter ; **aux trois quarts**, three quarters ; watch (spell of duty).

quartier, *n. m.* ; **— général**, head-quarters.

que, *rel. pron. accus.*, whom, which, that ; *interrog. pron. neut.*, what.

que, *conj.* & *adv.*, that ; as ; how many ! how !

quel, *adj.*, which, what, what a !

quelque, *adj.*, some ; *adv.*, some ; **quelque... que**, whatever, however.

quelque chose, *m.*, something ; **— — de bon**, something good ; **avoir — —**, to have something the matter with one.

quelquefois, *adv.*, sometimes.

quelqu'un, *pron.*, somebody, some one; *pl.*, quelques-uns, some, a few people.

quenouille, *n. f.*, distaff.

querelle, *n. f.*, quarrel, dispute; **vider une —**, to settle a dispute *or* feud.

question, *n. f.*, question.

quêter, *v. tr.*, to seek, beg.

quêteur, *n. m. & adj.*, beggar, begging.

queue, *n. f.*, tail; (of rabbit) scut.

qui, *relat. pron.*, who; *interrog. pron.*, who? whom?

quinzaine, *n. f.*, fortnight.

quinze, *adj.*, fifteen; **tous les — jours**, every fortnight.

quittance, *n. f.*, receipt.

quitte, *adj.*, **en être — pour**, to get off with.

quitter, *v. tr.*, to quit, leave; put off.

quoi, *pron.*, what; **de quoi**, sufficient to; good reason; **à — bon?** what's the use, what's the good of it? **— qu'il arrive**, whatever happens.

quoique, *conj.*, though, although.

race, *n. f.*, race.

raconter, *v. tr.*, to tell, relate.

rafale, *n. f.*, squall, gust.

raffoler; **— de**, to be madly fond of.

rafraîchir, *v. tr.*, to cool, refresh.

rafraîchissement, *n. m.*, refreshment, cooling.

rage, *n. f.*, rage; **faire —**, to rage.

raison, *n. f.*, reason; **avoir —**, to be right.

rallumer, *v. tr.*, to light again.

ramasser, *v. tr.*, to pick up, gather.

rameau, *n. m.*, branch, bough.

ramener, *v. tr.*, to bring *or* lead back.

rancune, *n. f.*, rancour, spite, malice.

rancunier, *adj.*, vindictive, spiteful.

rang, *n. m.*, rank, row; **se mettre sur les rangs**, to become a candidate.

rangée, *n. f.*, row.

ranger, *v. tr.*, to arrange, put in a row.

rapidement, *adv.*, rapidly, swiftly.

rapiécé, *p. p. & adj.*, patched.

rappeler, *v. tr.*, **to recall**; **se —**, **to** remember.

rapporter, *v. tr.*, to bring back.

rapprocher, *v. tr.*, to bring nearer; **se —**, to draw nearer.

ras, *n. m.*; **au — de**, on a level with.

rassurer, *v. tr.*, to reassure, comfort.

râteau, *n. m.*, rake.

râtelier, *n. m.*, rack.

rattacher, *v. tr.*, to fasten (again).

rattraper, *v. tr.*, to catch, make up on.

rauque, *adj.*, hoarse.

ravin, *n. m.*, ravine.

ravir, *v. tr.*, to charm, delight; *p. p.*, **ravi**, delighted.

raviser; **se —**, to change one's mind.

ravissement, *n. m.*, delight, rapture.

rayon, *n. m.*, ray, shelf; **— de lune**, moonbeam.

rayonnant, *adj.*, radiant.

rebord, *n. m.*, ledge.

réception, *n. f.*, reception.

recette, *n. f.*, receipt, recipe.

receveur, *n. m.*, collector; **— d'enregistrement**, tax-collector.

recevoir, *v. tr.*, to receive, welcome.

réchapper; **en —**, to escape (from).

réchaud, *n. m.*, stove.

réchauffer, *v. tr.*, to warm (again).

recherche, *n. f.*, search, seeking.

rechercher, *v.*, *tr.*, to seek, search; court.

récit, *n. m.*, tale, story.

réciter, *v. tr.*, to recite.

récompense, *n. f.*, reward.

reconnaître, *v. tr.*, to recognize.

reconstruire, *v. tr.*, to reconstruct, build up again.

recours, *n. m.*, recourse; after-claim, appeal.

recueillir, *v. tr.*, to take in (charitably); *p. p.*, **recueilli**, meditative, contemplative.

reculer, *v. intr.*, to recoil, draw back.

redescendre, *v. intr.*, to go *or* come down again.

redire, *v. tr.*, to tell again, retell.

redonner, *v. tr.*, to give again.

redorer, *v. tr.*, to gild again, regild.

redoubler, *v. tr.*, to redouble.

redouter, *v. tr.*, to fear, dread.

redresser, *v. tr.*, to straighten ; se —, to sit *or* rise up straight.

réfectoire, *n. m.*, refectory, dining-hall.

réflexion, *n. f.*, reflection.

réfugier ; se —, to take *or* seek refuge.

refuser, *v. tr.*, to refuse.

regard, *n. m.*, look, glance.

regarder, *v. tr. & intr.*, to look, look at.

régional, *adj.*, local.

règlement, *n. m.*, rule, regulation.

régler, *v. tr.*, to settle.

regretter, *v. tr.*, to regret, long for, miss.

régulièrement, *adv.*, regularly.

reine, *n. f.*, queen.

reins, *n. m. pl.*, loins, back ; **d'un coup de —**, bucking (of mule).

relais, *n. m.*, relay, stage, posting-house.

relancer, *v. tr.*, to hunt out, pursue.

relever, *v. tr.*, to raise, lift (again), pick up

reluire, *v. intr.*, to gleam.

remarquer, *v. tr.*, to remark, notice.

remercier, *v. tr.*, to thank.

remettre, *v. tr.*, to put back again, hand over ; **remis sur pied**, up and about again ; se — à, to begin again to.

remiser, *v. tr.*, to put past, put away.

remonter, *v. tr.*, to wind up.

remords, *n. m.*, remorse.

rempart, *n. m.*, rampart, wall.

remplacer, *v. tr.*, to replace.

remplir, *v. tr.*, to fill up.

remuer, *v. tr.*, to move, shift, stir, wag.

rencontrer, *v. tr.*, to meet.

rendre, *v. tr.*, to give back ; make, render ; se —, to become.

renfermer, *v. tr.*, to shut up *or* in.

renfrogné, *adj.*, surly, scowling.

renom, *n. m.*, reputation, renown.

renouveler, *v. tr.*, to renew.

renseignement, *n. m.*, information, detail.

renseigner, *v. tr.*, to inform.

rentrer, *v. tr. & intr.*, to bring in ; to come *or* go home *or* in.

renverser, *v. tr.*, to turn *or* throw back ; se —, to throw oneself back.

répandre, *v. tr.*, to spread, shed.

réparation, *n. f.*, repair.

repas, *n. m.*, meal.

repentant, *adj.*, repentant.

répéter, *v. tr.*, to repeat.

répondre, *v. tr.*, to answer ; en —, to answer for, warrant.

répons, *n. m.*, response (in church service).

réponse, *n. f.*, answer.

reposer, *v. tr. & intr.*, to rest ; lie ; se —, to take a rest.

reprendre, *v. tr.*, to take *or* begin again, repeat.

réserve, *n. f.*, reserve, reservation.

réservoir, *n. m.*, reservoir ; — d'étain, tin can.

résigner, *v. tr.*, to resign.

résister à, *v. intr.*, to resist.

respect, *n. m.*, respect ; **avec —** respectfully.

respecter, *v. tr.*, to respect.

résidence, *n. f.*, residence.

respiration, *n. f.*, breath.

respirer, *v. intr.*, to breathe ; smell.

resplendissant, *adj.*, resplendent, shining brightly.

ressembler, *v. intr.*, to resemble, be like.

ressource, *n. f.*, resource.

reste, *n. m.*, remainder ; du — however, withal, for all that.

rester, *v. intr.*, to stay, remain.

retard, *n. m.*, delay ; en —, late.

retenir, *v. tr.*, to hold back, restrain.

retentir, *v. intr.*, to ring out, echo.

retentissant, *adj.*, ringing, resounding.

retour, *n. m.*, return ; au —, when one comes back.

retourner, *v. intr.*, to go back, return ; se —, to turn round *or* back.

retraite, *n. f.*, retreat, tattoo.

retrouver, *v. tr.*, to find again · se —, to find oneself.

réussir, *v. intr.*, to succeed.

rêve, *n. m.*, dream.

réveiller, *v. tr.*, to awaken.

revenir, *v. intr.*, to come back, return.

rêver, *v. tr. & intr.*, to dream.

révérence, *n. f.*, curtsy, bow ; une grande — a deep, low curtsy *or* bow.

révérend, *adj.*, reverend ; mes révérends, your reverences.

revoir, *v. tr.*, to see again.

ribambelle ; une — d'ânes, a string of donkeys.

ricaner, *v. intr.*, to grin, snigger.

richesse, *n. f.*, wealth, riches.

ride, *n. f.*, wrinkle.

ridé, *p. p.* & *adj.*, wrinkled.

rideau, *n. m.*, curtain.

ridicule, *adj.*, ridiculous.

rien, *n. m.*, anything, nothing ; — que, only, merely ; — du tout, nothing at all.

rime, *n. f.*, rhyme.

rire, *n. m.*, laugh.

rire, *v. intr.*, to laugh.

risque, *n. m.*, risk, danger.

risquer, *v. tr.*, to risk, run the risk of.

rivage, *n. m.*, bank, shore.

robe, *n. f.*, dress, robe ; coat (of animals).

robuste, *adj.*, robust, sturdy.

roc, *n. m.*, rock.

roche, *n. f.*, rock.

rocher, *n. m.*, rock, cliff.

rôder, *v. intr.*, to wander, rove, prowl.

romarin, *n. m.*, rosemary.

rompre, *v. tr.*, to break.

rond, *n. m.*, round ; en —, in a ring *or* circle.

ronde, *n. f.*, round (dance) ; à la —, round about.

ronfler, *v. intr.*, to snore, roar, throb, thrum, drone.

rosace, *n. f.*, rose (ornament), rose-window.

rose, *n. f.*, rose ; *adj.*, pink.

rosée, *n. f.*, dew.

rossignol, *n. m.*, nightingale.

rôti, *p. p.* of *rôtir*, roasted.

roubine (*local*), *n. f.*, canal.

roue, *n. f.*, wheel.

rouf, *n. m.*, deck-house, round-house.

rouge, *adj.*, red.

rougeâtre, *adj.*, reddish.

rouillé, *adj.*, rusty, rusted.

(2,808)

rouler, *v. tr.* & *intr.*, to roll.

roulier, *n. m.*, carter, carrier.

route, *n. f.*, road, way ; en —, on the way ; se mettre en —. to set off.

roux, rousse, *adj.*, russet, ruddy, red, rusty.

royaume, *n. m.*, kingdom.

ruade, *n. f.*, kick (of horse *or* mule).

ruban, *n. m.*, ribbon.

rubis, *n. m.*, ruby.

ruche, *n. f.*, hive.

rude, *adj.*, rude, rough ; stout ; capable, thorough.

rue, *n. f.*, street.

ruine, *n. f.*, ruin, ruins.

ruisseau, *n. m.*, stream, brook, gutter.

ruisselant, *adj.*, streaming.

rusticités, *n. f. pl*, rustic manners and speech.

sable, *n. m.*, sand.

sabot, *n. m.*, wooden shoe, hoof.

sabre, *n. m.*, sabre, sword.

sac, *n. m.*, sack.

sachant, *pres. p.* of *savoir*

sacré, *adj.*, accursed.

sacrifier, *v. tr.*, to sacrifice.

sacristain, *n. m.*, sacristan.

safran, *n. m.* & *adj.*, crocus (coloured), saffron.

sage, *adj.*, wise, well-behaved, good.

sagesse, *n. f.*, wisdom, good sense.

sainfoin, *n. m.*, sainfoin (French grass).

saint, *adj.*, holy, saintly.

saintement, *adv.*, sacredly, in holy fashion.

sainteté, *n. f.*, holiness, sanctity.

saint-sacrement, *n. m.*, holy sacrament, host.

saisir, *v. tr.*, to seize.

saisissant, *adj.*, striking.

salle, *n. f.*, room, hall ; — à manger, dining-room.

saluer, *v. tr.* & *intr.*, to salute, greet, bow (to).

salut ! greeting ! (common form of salutation in Provence).

sang, *n. m.*, blood.

sanglot, *n. m.*, sob.

sangloter, *v. intr.*, to sob.

sans, *prep.*, without, but for ; — **que,** *conj.*, without.

santé, *n. f.*, health.

sapin, *n. m.*, fir.

Sardaigne, *n. f.*, Sardinia.

sauf, *prep.*, except ; — **votre respect,** begging your pardon.

saut, *n. m.*, leap, jump ; **d'un —,** at one bound.

sauter, *v. tr.* & *intr.*, to jump, leap ; pop (of cork).

sautillant, *adj.*, hopping, skipping.

sautiller, *v. intr.*, to skip, hop.

sauvage, *adj.*, wild ; **un —,** a savage, wild man.

sauver, *v. tr.*, to save.

sauvetage, *n. m.*, saving, rescue.

savant, *adj.*, learned, scholarly ; *n. m.*, learned man, scholar.

savoir, *v. tr.*, to know, know how to, be able ; **je ne sais plus,** I forget.

savoir, *n. m.*, science, knowledge, learning.

savoureux, *adj.*, tasty, juicy.

scandale, *n. m.*, scandal.

scandaliser, *v. tr.*, to scandalize.

sceptique, *adj.*, sceptical.

scorbutique, *adj.*, scorbutic, scurvy.

sculpteur, *n. m.*, sculptor, carver.

séance, *n. f.*, sitting, meeting ; — **tenante,** there and then, forthwith.

seau, *n. m.*, bucket, pail.

sébile, *n. f.*, (beggar's) wooden bowl.

sec, sèche, *adj.*, dry, spare, fine ; **à sec de toiles,** under bare poles.

sécher, *v. tr.*, to dry.

secouer, *v. tr.*, to shake, flap, shake out *or* off.

secret, *adj.* & *n. m.*, secret.

séduit, *p. p.* of *séduire*, tempted, led astray.

seigneur, *n. m.*, lord.

selon, *prep.*, according to.

semaine, *n. f.*, week.

sembler, *v. intr.*, to seem.

semer, *v. tr.*, to sow, plant.

semestre, *n. m.*, six months.

sensation, *n. f.*, sensation ; **faire —,** to make *or* cause a sensation.

sentier, *n. m.*, footpath.

sentir, *v. tr.* & *intr.*, to feel, smell, smack of ; **se —,** to feel (within oneself) ; — **bon,** to smell sweetly.

séparer, *v. tr.*, to separate.

septième, *adj.*, seventh.

serpent, *n. m.*, serpent ; (wind-instrument. See p. 134).

serpentin, *n. m.*, worm (of a still).

sérieux, *adj.*, serious.

sérieusement, *adv.*, seriously.

serré, *p. p.* of *serrer*, closely-packed, crowded.

serrer, *v. tr.*, to press closely ; — **le cœur,** to make one's heart bleed, wring the heart's strings.

serrure, *n. f.*, lock ; **le trou de la —** the key-hole.

service, *n. m.*, service.

serviette, *n. f.*, portfolio.

servir, *v. tr.* & *intr.*, to serve ; — **à,** to serve for ; — **de,** to serve as ; **se — de,** to use.

serviteur, *n. m.*, servant.

seuil, *n. m.*, threshold, door-step.

seul, *adj.*, alone ; **à lui —,** single-handed.

seulement, *adv.*, only.

seulette, *adj. f.*, all alone.

si, *conj.*, if, whether ; *adv.*, so ; yes (in reply to a negative) ; **si j'allais,** suppose I were going to.

sien, *poss. pron.*, his, hers.

sieste, *n. f.*, siesta, afternoon nap.

sieur, *n. m.*, Mr. (in legal documents).

siffler, *v. tr.* & *intr.*, to whistle, hiss.

signal, *n. m.*, signal.

signe, *n. m.*, sign ; **faire —,** to signal, beckon.

signer, *v. tr.*, to sign ; **se —,** to cross oneself.

signet, *n. m.*, book-mark.

silence, *n. m.*, silence.

silencieux, *adj.*, silent.

simple, *adj.*, simple ; *n. m.*, simple, herb.

simplicité, *n. f.*, simplicity.

singulier, *adj.*, singular, strange, odd.

sinistre, *adj.*, sinister, evil-looking, ominous.

sinistre, *n. m.*, disaster, catastrophe.

sire, *n. m.,* sir, lord (often ironical).

sis, *p. p.* of *seoir,* situate (*legal*).

sitôt, *adv.,* as soon.

soie, *n. f.,* silk.

soif, *n. f.,* thirst.

soigneusement, *adv.,* carefully.

soi-même, *refl. pron.,* oneself.

soin, *n. m.,* care; **avoir —,** to take care, be careful.

soir, *n. m.,* evening

soixante, *adj.,* sixty.

soldat, *n. m.,* soldier.

soleil, *n. m.,* sun, sunlight; **au —,** in the sun; **prendre le —,** to sun oneself.

solide, *adj.,* strong, sturdy.

solitude, *n. f.,* solitude, loneliness.

solive, *n. f.,* rafter.

somme, *n. m.,* nap, short sleep.

somme, *n. f.,* sum; **en —,** in short.

sommeil, *n. m.,* sleep.

sommet, *n. m.,* summit, top.

son, *n. m.,* sound.

songer, *v. tr. & intr.,* to dream, think; **— à,** to think of.

sonnailles, *n. f. pl.,* bells.

sonner, *v. tr. & intr.,* to sound, ring, strike.

sonore, *adj.,* sonorous, resonant, rich.

sonorité, *n. f.,* sonorous music, full sound.

sorcier, *n. m.,* sorcerer, wizard.

sorte, *n. f.,* sort, kind.

sortie, *n. f.,* coming *or* going out.

sortilège, *n. m.,* spell.

sortir, *v. tr. & intr.,* to go out, rise; take *or* bring out.

souche, *n. f.,* stock, stem.

soudard, *n. m.,* old soldier, veteran.

souffle, *n. m.,* breath, blast.

souffler, *v. tr. & intr.,* to breathe, blow, whisper; (of cat) spit.

souffrir, *v. tr. & intr.,* to suffer.

souhaiter, *v. tr.,* to wish, bid.

soûl, *adj.,* drunk.

soulever, *v. tr.,* to raise *or* lift up.

soulier, *n. m.,* shoe.

soupe, *n. f.,* soup.

souper, *v. intr.,* to sup, take supper.

soupir, *n. m.,* sigh.

soupirer, *v. intr.,* to sigh.

source, *n. f.,* source, spring.

sourciller; **sans —,** without moving an eyelid.

sourire, *n. m.,* smile.

sourire, *v. intr.,* to smile.

sous, *prep.,* under.

sous-officier, *n. m.,* non-commissioned officer.

sous-préfet, *n. m.,* sub-prefect.

soussigné, *adj.,* undersigned (*legal*).

souvenir, *n. m.,* souvenir, memory.

souvenir; se —, to remember.

souvent, *adv.,* often.

sparterie, *n. f.,* plaited work made of esparto grass, matting.

spectacle, *n. m.,* spectacle, sight.

stalle, *n. f.,* stall (seat).

store, *n. m.,* blind.

strident, *adj.,* strident, harsh.

strophe, *n. f.,* verse.

stupéfait, *adj.,* stupefied, thunderstruck.

stupeur, *n. f.,* stupor, astonishment.

stupide, *adj.,* stupid.

suant, *adj.,* sweating, perspiring.

subitement, *adv.,* suddenly.

suc, *n. m.,* juice.

sucrer, *v. tr.,* to sugar, sweeten.

suite, *n. f.,* succession, continuation, sequel; **prendre la —,** to succeed; **de —,** in succession, one after the other, forthwith; **tout de —,** (all) at once.

suivant, *adj.,* following, next.

suivi (*p. p.* of *suivre*) **de,** followed *or* attended by.

suivre, *v. tr.,* to follow, accompany.

sujet, *n. m.,* subject.

superbe, *adj.,* superb, noble.

supplémentaire, *adj.,* extra.

supplication, *n. f.,* prayer, entreaty.

sur, *prep.,* on, about.

sûr, *adj.,* sure; **bien —,** of course, certainly.

surhumain, *adj.,* superhuman.

surplis, *n. m.,* surplice.

surprendre, *v. tr.,* to surprise, take by surprise.

sursaut, *n. m.;* **en —,** with a start.

surtout, *adv.*, above all, especially.

surveiller, *v. tr.*, to look after, super-intend, watch over.

syllabe, *n. f.*, syllable.

tabac, *n. m.*, tobacco, snuff.

tableau, *n. m.*, picture.

tableautin, *n. m.*, little picture, min-iature.

tache, *n. f.*, blot, stain, patch.

tacher, *v. tr.*, to spot, stain, fleck.

taillole, *n. f.*, waistband.

taire, *v. tr. & intr.*, to keep silent about ; se —, to be, become *or* keep silent.

talon, *n. m.*, heel.

talus, *n. m.*, bank.

tambour, *n. m.*, drum, drummer.

tambourin, *n. m.*, Provençal drum. See p. xiv.

tandis que, *conj.*, while (on the other hand).

tanguer, *v. intr.*, to pitch (of ship).

tanné, *p. p. & adj.*, tanned.

tant, *adv.*, so much, as much ; — bien que mal, as well as possible, indiffer-ently ; — et —, so much so.

tante, *n. f.*, aunt.

tantôt, *adv.*, now, again ; de —, lately (heard).

tapage, *n. m.*, din, noise.

tape, *n. f.*, pat.

taper, *v. tr. & intr.*, to pat, strike, beat.

tapisser, *v. tr.*, to cover with tapestry, paper ; line.

tapisserie, *n. f.*, tapestry, wall-paper.

tard, *adv.*, late.

tas, *n. m.*, heap, lot.

tâtonner, *v. intr.*, to grope, feel one's way.

tâtons ; à —, groping.

taureau, *n. m.*, bull.

tel, *adj.*, such, just.

télégraphe, *n. m.*, telegraph.

témoin, *n. m.*, witness.

temps, *n. m.*, time, weather ; de mon —, in my time ; de — en — from time to time, now and again ; du — que, in the days when ; à — pressés, in hurried time, presto.

tenable, *adj.*, tenable, inhabitable.

tendre, *v. tr.*, to stretch out ; *p. p.*, tendu, outstretched.

tenez ! *imperat.* of *tenir*, hold ! why ! there !

tenir, *v. tr. & intr.*, to hold, keep, hold out ; to be contained, stay ; — bon, to hold out ; se — debout, to stand ; s'en — là, to stop there ; — chaud, to warm up, keep warm ; — à, to be anxious to, determined on, to insist on.

tentation, *n. f.*, temptation.

tenter, *v. tr.*, to tempt, try.

terminer, *v. tr. & intr.*, to finish, end.

terrasse, *n. f.*, terrace.

terre, *n. f.*, earth, land, ground ; earth-enware ; à —, on the floor *or* deck.

terreur, *n. f.*, terror, alarm.

terrible, *adj.*, terrible ; le —, the terrible thing.

tête, *n. f.*, head ; homme de —, a clever man ; se mettre en — to take it into one's head.

tic tac, *n. m.*, tick-tock, clack.

tiédir, *v. intr.*, to cool.

tien, *poss. pron.*, thine, yours.

tige, *n. f.*, stalk, stem.

timbale, *n. f.*, mug.

tirer, *v. tr. & intr.*, to draw, pull ; — de peine, to get out of a difficulty ; — au mur, to let fly at the wall.

tireur, *n. m.*, puller, drawer, picker.

tiroir, *n. m.*, drawer.

tisser, *v. tr.*, to weave.

toile, *n. f.*, canvas, web.

toit, *n. m.*, roof.

toiture, *n. f.*, roofing, roof.

tombe, *n. f.*, tomb, grave.

tomber, *v. intr.*, to fall ; faire —, to make *or* let fall.

tonneau, *n. m.*, cask.

torrent, *n. m.*, torrent, mountain-stream.

tortiller, *v. tr.*, to twist, twirl.

touchant, *adj.*, touching, affecting.

toucher, *v. tr.*, to touch, affect ; (of money) to draw ; — deux mots, to say a word.

touffe, *n. f.*, tuft.

toujours, *adv.*, always, still ; aller —, to go on.

tour, *n. m.*, turn ; **fermer à double** —, to (double) lock ; **à** — **de bras,** vigorously ; **en un** — **de main,** in a trice ; trick ; (of hair) front.

tour, *n. f.*, tower.

tourbillon, *n. m.*, whirlwind, eddy ; whirling flock.

tourmenter, *v. tr.*, to torment, trouble, fumble at (a lock).

tourner, *v. tr. & intr.*, to turn, turn round, wind ; — **à vide,** to work on nothing, turn in the air.

tournoyer, *v. intr.*, to wheel, circle.

tout, *adj.*, all, every ; **toute une forêt,** a whole forest ; *adv.*, quite.

tracer, *v. tr.*, to trace, draw.

train, *n. m.*, gait, bustle, animation ; **en** — **de,** busy, occupied in ; **en** —, (in) making ; **aller leur** —, to go on ; **le** — **des fêtes,** the course of the festivals ; — **de vie,** manner of life ; **mettre en** —, to excite, stir up ; — **d'équipage,** Army Service Corps ; — **de derrière,** hind-quarters.

traîner, *v. tr. & intr.*, to drag, draw ; trail ; wander, lie *or* stand about.

traire, *v. tr.*, to milk.

trait, *n. m.*, draught ; **d'un** —, at a gulp.

traiter, *v. tr.*, to treat.

traître, *adj.*, treacherous.

tramontane, *n. f.*, north wind (coming across the Alps).

tranche. *n. f.*, slice ; edge.

tranquille, *adj.*, calm, quiet, easy-minded.

transporter, *v. tr.*, to carry across, convey.

travail, *n. m.*, work, task, labour.

travailler, *v. tr. & intr.*, to work, work up, elaborate.

travers, *n. m.* ; **à** —, through, across ; **de** —, awry.

traverse, *n. f.*, short-cut, by-path.

traverser, *v. tr.*, to cross, pass through.

trèfle, *n. m.*, trefoil.

trembler, *v. intr.*, to tremble.

tremper, *v. tr.*, to dip, soak, drench.

trente, *adj.*, thirty.

trésor, *n. m.*, treasure.

tressaillir, *v. intr.*, to start, **thrill.**

trêve, *n. f.*, truce, pause.

tribune, *n. f.*, pulpit.

tricorne, *n. m.*, (three - cornered) cocked hat.

trier, *v. tr.*, to sort out.

tringlot, *n. m.*, an A.S.C. **man,** mud-lark (*slang*).

triomphant, *adj.*, triumphant.

triomphe, *n. m.*, triumph.

trique, *n. f.*, stout stick, cudgel.

triste, *adj.*, sad, forlorn, dull.

tristement, *adv.*, sadly, gloomily.

tristesse, *n. f.*, sadness.

troisième, *adj.*, third.

tromper, *v. tr.*, to deceive ; **se** —, **to** be mistaken.

trompette, *n. f.*, trumpet ; **coup de** —, trumpet-blast.

tronc, *n. m.*, trunk (of tree).

trône, *n. m.*, throne.

trop, *adv.*, too, too much.

troquer, *v. tr.*, to exchange, swap (contre) for.

trot, *n. m.*, trot.

trotter, *v. intr.*, to trot.

trottiner, *v. intr.*, to trip along *or* about.

trou, *n. m.*, hole.

trouble, *n. m.*, trouble, agitation.

troubler, *v. tr.*, to trouble, agitate, confuse.

troué, *p. p. & adj.*, holed, in holes.

troupe, *n. f.*, troop, herd.

troupeau, *n. m.*, flock, herd, band.

trouver, *v. tr.*, to find ; think, consider ; **se** —, to happen, to be.

tu, *p. p.* of (*se*) **taire.**

tuer, *v. tr.*, to kill ; **se** —, **to be** killed

tuerie, *n. f.*, slaughter.

tue-tête ; à —, at the pitch of one's voice.

tuile, *n. f.*, tile.

tulle, *n. m.*, tulle, net.

tumulte, *n. m.*, tumult, uproar, confusion.

usage, *n. m.*, use, custom.

vacances, *n. f. pl.,* vacation, holiday.
vache, *n. f.,* cow.
va-et-vient, *n. m.,* coming and going.
vague, *n. f.,* wave.
vague, *adj.,* vague, indistinct.
vaillant, *adj.,* valiant, stout-hearted.
vainement, *adv.,* vainly, in vain.
valet, *n. m.,* farm-hand, lad.
vallée, *n. f.,* valley.
valoir, *v. tr. & intr.,* to be worth, bring in ; — **mieux,** to be better.
valse, *n. f.,* waltz.
vapeur, *n. f.,* steam, vapour,
vase, *n. f.,* ooze, silt.
vaudrait, *3rd sing. fut. in past (condit.)* of *valoir.*
vautrer ; se —, to wallow.
vécut, *3rd sing. p. hist.* of *vivre.*
veille, *n. f.,* vigil, sleepless night ; eve, day before.
veillée, *n. f.,* watch, evening gathering *or* party.
veiller, *v. tr. & intr.,* to watch, keep watch ; — **sur,** to watch over.
veine, *n. f.,* vein.
velours, *n. m.,* velvet.
velouté, *n. m.,* mellow, rich flavour.
vendeur, *n. m.,* vendor, seller.
vendre, *v. tr.,* to sell.
venir, *v. intr.,* to come ; — **de,** to have just.
vent, *n. m.,* wind ; **sous le —,** before the wind ; **au —,** streaming, floating in the wind.
vente, *n. f.,* sale.
ventre, *n. m.,* stomach, body ; **jusqu'au —,** knee-deep.
vêpres, *n. f. pl.,* vespers, evening *or* afternoon service ; evening.
ver, *n. m.,* worm, moth.
verdure, *n. f.,* greenery, vegetation.
véritable, *adj.,* real, true.
vermeil, *n. m.,* silver-gilt.
verre, *n. m.,* glass, tumbler.
verrou, *n. m.,* bolt.
vers, *n. m.,* verse, line (of poetry).
vers, *prep.,* towards, about.
verser, *v. tr.,* to pour out, shed.
vert, *adj.,* green.
vertige, *n. m.,* giddiness, dizziness.

veste, *n. f.,* jacket
vêtement, *n. m.,* clothes.
vêtu, *p. p.* of *vêtir,* clothed, clad.
vibration, *n. f.,* vibration, quivering.
victime, *n. f.,* victim.
vide, *adj.,* empty ; *n. m.,* empty space, the void.
vider, *v. tr.,* to empty.
vie, *n. f.,* life.
vieillard, *n. m.,* old man, old person.
vieillir, *v. intr.,* to become *or* grow old.
vieux, vieil, vieille, *adj.,* old
vif, *adj.,* quick, lively, brisk, keen.
vigne, *n. f.,* vine, vine-yard.
vigoureux, *adj.,* vigorous, sturdy.
viguier, *n. m.,* provost.
vilain, *adj.,* ugly, nasty, low, naughty
village, *n. m.,* village.
vindicatif, *adj.,* vindictive, vengeful.
vingtaine, *n. f.,* score.
violet, *adj.,* violet, purple.
violette, *n. f.,* violet (flower).
violon, *n. m.,* violin.
virer, *v. intr.,* to veer, turn.
visage, *n. m.,* face.
visionnaire, *adj.,* visionary, dreamy.
visite, *n. f.,* visit.
visiter, *v. tr.,* to visit, pay a visit to.
vit, *3rd sing. p. hist.* of *voir.*
vite, *adv.,* quickly.
vitrage, *n. m.,* glass frame *or* cage.
vitrail, *pl.* **vitraux,** *n. m.,* stained-glass window.
vitre, *n. f.,* window-pane.
vivacité, *n. f.,* vivacity ; **avec —,** vivaciously.
vivant, *n. m.,* lifetime ; **de son —,** **in** his (her) lifetime, when alive.
vivement, *adv.,* quickly, briskly.
vivre, *v. intr.,* to live.
vivres, *n. m. pl.,* victuals, provisions.
vogue, *n. f.,* vogue, popularity.
voici, *prep.,* here is (are) ; look here.
voie, *n. f.,* way.
voilà, *prep.,* there is (are) ; **nous —,** here we are.
voile, *n. m.,* veil.
voile, *n. f.,* sail.
voiler, *v. tr.,* to veil, cover

voir, *v. tr.*, to see ; **de le —**, to see him ; **faire —**, to let see, show ; **se —**, to be visible, be exposed.

voire, *adv.*, even, nay, more.

voisin, *n. m.*, neighbour.

voisinage, *n. m.*, neighbourhood, nearness.

voiture, *n. f.*, vehicle, carriage.

voiturier, *n. m.*, carter.

voix, *n. f.*, voice.

vol, *n. m.*, flight, covey.

volée, *n. f.* ; **à la grande —**, in full peal.

voler, *v. tr.*, to steal.

voler, *v. intr.*, to fly.

volet, *n. m.*, shutter (outside).

voleur, *n. m.*, thief, robber.

voltiger, *v. intr.*, to flutter.

vote, *n. f.* = *fête patronale*, fête of the patron saint of a district.

vouloir, *v. tr.*, to wish ; **que voulez-vous ?** what would you have ? **veux-tu bien ?** *will* you ? **en vouloir à**, to have a grudge against ; **n'en vouloir plus**, to have nothing more to do with.

vous, *pers. pron.*, you, one.

voûté, *adj.*, vaulted.

voyage, *n. m.*, journey, voyage, trip.

voyons, 1st *pl. imperat.* of *voir*, let's see, look now.

vrai, *adj.*, true, real.

vraiment, *adv.*, truly, really.

vue, *n. f.*, sight.

zébré, *adj.*, striped.

PRINTED IN GREAT BRITAIN AT
THE PRESS OF THE PUBLISHERS